Gwyc[…] TGAU

[…]g

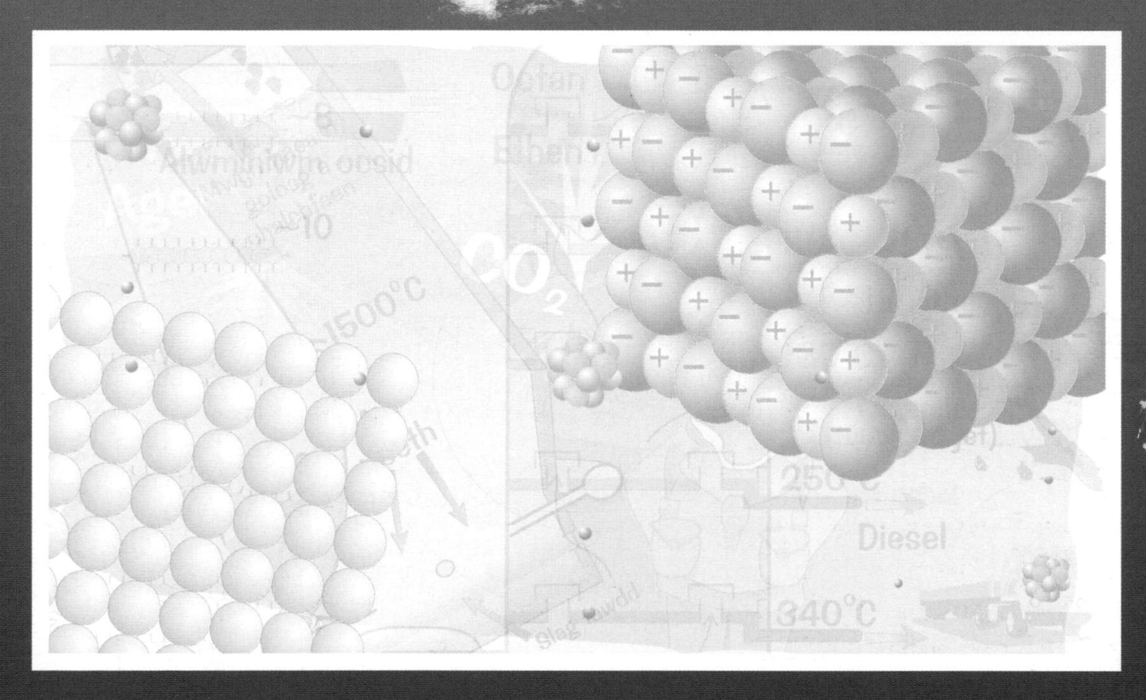

Y Llyfr Adolygu

Lefel Sylfaenol

CGP

Y fersiwn Saesneg gwreiddiol:
GCSE Double Science Chemistry
The Revision Guide Foundation Level

Cyhoeddwyd gan Coordination Group Publications Ltd.

Golygwyd gan: Richard Parsons
Diweddarwyd gan: James Paul Wallis, Dominic Hall, Suzanne Worthington
Darluniau: Sandy Gardner
Argraffwyd gan: Elanders Hindson, Newcastle upon Tyne.

Cyhoeddwyd gan Y Ganolfan Astudiaethau Addysg (CAA), Prifysgol Cymru, Aberystwyth, Yr Hen Goleg, Aberystwyth, SY23 2AX (http://www.caa.aber.ac.uk).
Noddwyd gan Lywodraeth Cynulliad Cymru.

Cyfieithydd: Hana Eurgan Rowlands
Golygydd: Lynwen Rees Jones
Dylunydd: Andrew Gaunt
Argraffwyr: Argraffwyr Cambria
Clipluniau: CorelDRAW

Diolch i Cennydd Amos a Noel Roberts am eu cymorth wrth brawfddarllen.

ISBN: 9781-84521-140-0

Cynnwys

Adran Un — Dosbarthu Defnyddiau

Solidau, Hylifau a Nwyon 1
Newid Cyflwr 2
Atomau 4
Rhif Atomig a Rhif Màs 5
Plisg Electronau a Bondio Ïonig 6
Bondio Ïonig a Bondio Cofalent 7
Sylweddau Ïonig 8
Sylweddau Cofalent a Metelau 9
Elfennau, Cyfansoddion a Chymysgeddau 10
Profion Cyffredin a Symbolau Perygl 11
Crynodeb Adolygu Adran Un 12

Adran Dau — Defnyddiau o'r Ddaear

Distyllu Ffracsiynol Olew Crai 13
Defnyddio Hydrocarbonau 14
Cracio Hydrocarbonau 15
Alcanau ac Alcenau 16
Polymerau a Phlastigion 17
Mwynau Metel o'r Ddaear 18
Echdynnu Haearn — Y Ffwrnais Chwyth 19
Puro Copr drwy Electrolysis 20
Echdynnu Alwminiwm — Electrolysis 21
Defnyddio'r Tri Metel Cyffredin 23
Pedair Ffordd o Ddefnyddio Calchfaen 24
Gwneud Amonia: Proses Haber 25
Defnyddio Amonia i wneud Gwrtaith 26
Crynodeb Adolygu Adran Dau 27

Adran Tri — Hafaliadau

Naw Math o Newid Cemegol 28
Cydbwyso Hafaliadau 29
Electrolysis a'r Hanner Hafaliadau 30
Màs Fformiwla Cymharol 31
Cyfrifo Canran Màs 32
Crynodeb Adolygu Adran Tri 33

Adran Pedwar — Aer a Chreigiau

Atmosffer Heddiw 34
Esblygiad yr Atmosffer 35
Problemau Atmosfferig a Grëwyd gan Bobl 37
Y Gylchred Garbon 39
Hindreuliad a'r Gylchred Ddŵr 40
Y Tri Math Gwahanol o Graig 41
Creigiau Gwaddod 42
Creigiau Metamorffig 43
Creigiau Igneaidd 44
Ffiniau Platiau 45
Crynodeb Adolygu Adran Pedwar 46

Adran Pump — Tueddiadau Cyfnodol

Hanes y Tabl Cyfnodol yn Fyr 47
Y Tabl Cyfnodol 48
Trefniannau Electronau 49
Grŵp 0 — Y Nwyon Nobl 50
Grŵp 1 — Y Metelau Alcalïaidd 51
Adweithiau'r Metelau Alcalïaidd 52
Grŵp VII — Yr Halogenau 54
Adweithiau'r Halogenau 55
Halen Diwydiannol 56
Defnyddio Halogenau a Chynhyrchion Halen 57
Asidau ac Alcalïau 58
Asidau'n Adweithio gyda Metelau 59
Asidau gydag Ocsidau a Hydrocsidau 60
Asidau gyda Charbonadau ac Amonia 61
Metelau 62
Anfetelau 63
Cyfres Adweithedd y Metelau 64
Metelau Trosiannol 65
Crynodeb Adolygu Adran Pump 66

Adran Chwech — Cyfraddau Adweithiau

Cyfraddau Adweithiau 67
Damcaniaeth Gwrthdrawiadau 68
Pedwar Arbrawf ar Gyfraddau Adweithio 1 69
Pedwar Arbrawf ar Gyfraddau Adweithio 2 70
Catalyddion 71
Catalyddion Biolegol — Ensymau 72
Defnyddio Ensymau 1 73
Defnyddio Ensymau 2 74
Adweithiau Cildroadwy Syml 75
Adweithiau Cildroadwy mewn Ecwilibriwm 76
Y Broses Haber eto 77
Trosglwyddo Egni mewn Adweithiau 78
Crynodeb Adolygu Adran Chwech 80

Atebion 80
Mynegai 81

Solidau, Hylifau a Nwyon

Solidau, Hylifau a Nwyon yw tri chyflwr mater. Cofiwch ddysgu popeth amdanyn nhw.

Mae Grymoedd Atynnol Cryf gan Solidau

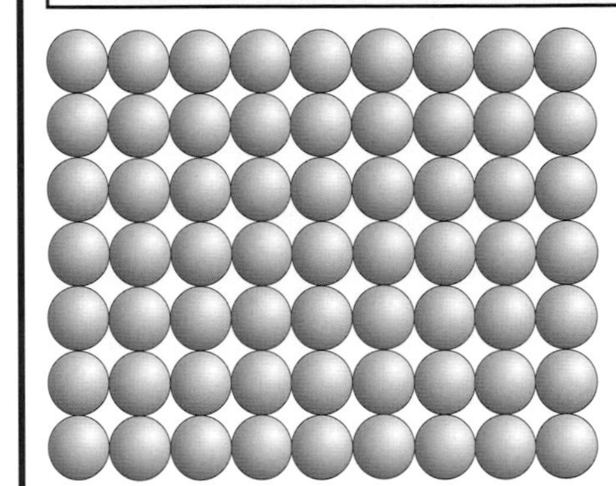

1) Mae grymoedd atynnol cryf rhwng y moleciwlau mewn solid.
2) Caiff y moleciwlau eu cadw mewn safleoedd sefydlog o fewn trefniant dellten cyson iawn.
3) Dydy'r moleciwlau ddim yn symud o'u safle felly mae gan bob solid siâp a hefyd cyfaint pendant. Dydyn nhw ddim yn llifo fel hylifau.
4) Maen nhw'n dirgrynu o gwmpas eu safleoedd. Bydd pob moleciwl yn dirgrynu mwy wrth i'r solid fynd yn fwy poeth. Mae hyn yn achosi i solidau ehangu ychydig wrth boethi.
5) Does dim modd cywasgu solid; y rheswm am hyn yw bod y moleciwlau wedi'u pacio'n dynn iawn at ei gilydd yn barod.
6) Mae solidau yn ddwys iawn fel arfer.

Mae Grymoedd Atynnol Canolig gan Hylifau

1) Mae peth grym atynnol rhwng y moleciwlau mewn hylif.
2) Mae'r moleciwlau'n rhydd i symud heibio'i gilydd, ond yn tueddu i lynu wrth ei gilydd.
3) Does dim siâp pendant gan hylifau a byddan nhw'n llifo nes llenwi gwaelod cynhwysydd. Ond maen nhw yn cadw'r un cyfaint.
4) Mae'r moleciwlau yn symud yn gyson â mudiant hap. Bydd pob moleciwl yn symud yn gyflymach wrth i'r hylif fynd yn fwy poeth. Mae hyn yn achosi i hylifau ehangu ychydig wrth boethi.
5) Does dim modd cywasgu hylif; y rheswm am hyn yw bod y moleciwlau wedi'u pacio'n dynn iawn at ei gilydd yn barod.
6) Mae hylifau yn eithaf dwys ond dydyn nhw ddim mor ddwys â solidau.

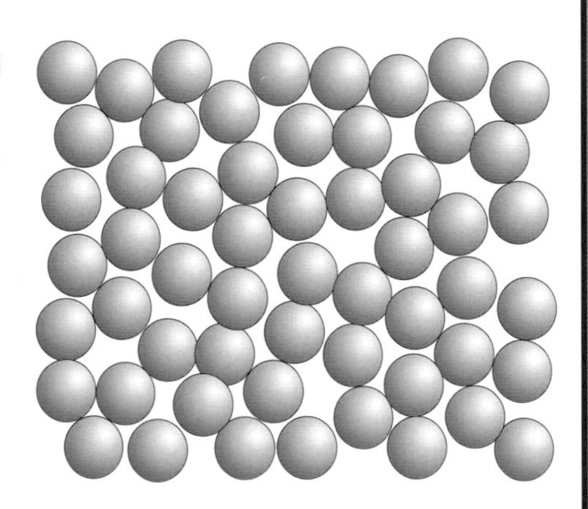

Dim ond Grymoedd Atynnol Gwan Iawn sydd gan Nwyon

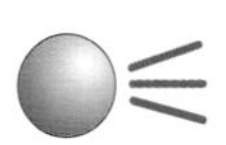

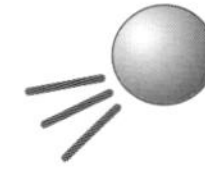

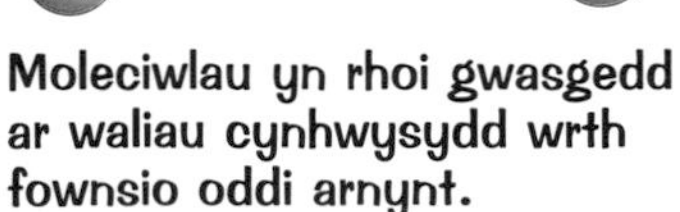

Moleciwlau yn rhoi gwasgedd ar waliau cynhwysydd wrth fownsio oddi arnynt.

1) Mae'r grymoedd atynnol rhwng y moleciwlau yn wan iawn mewn nwy.
2) Mae'r moleciwlau'n rhydd i symud. Byddan nhw'n teithio mewn llinellau syth a dim ond yn rhyngweithio pan fyddan nhw'n taro'n erbyn ei gilydd.
3) Does dim siâp na chyfaint pendant gan nwyon a byddan nhw bob amser yn ehangu i lenwi unrhyw gynhwysydd. Mae nwyon yn rhoi gwasgedd ar ochrau'r cynhwysydd.
4) Mae pob moleciwl mewn nwy yn symud yn gyson â mudiant hap. Bydd pob moleciwl yn symud yn gyflymach wrth i'r nwy fynd yn fwy poeth. Mae hyn yn achosi i nwyon naill ai ehangu wrth boethi, neu bydd eu gwasgedd yn cynyddu.
5) Mae modd cywasgu nwyon yn rhwydd iawn; y rheswm am hyn yw bod llawer o ofod rhwng y moleciwlau.
6) Mae dwysedd isel iawn gan bob nwy.

Does dim angen i chi ofidio am y pwyntiau yma i gyd, dim ond eu dysgu ...

Pwyntiau syml yw'r rhain, ond mae llawer un yn colli marciau yn yr Arholiad drwy beidio â dysgu'r pethau bychain yn drylwyr. Un ffordd o wneud yn hollol sicr eich bod yn gwybod y cyfan yw CUDDIO'R DUDALEN AC YSGRIFENNU'R CWBL HEB EDRYCH. Fel hyn, byddwch yn gwybod faint sydd ar ôl i'w ddysgu – a gwnewch hyn ar gyfer pob tudalen. Gwnewch hyn ar unwaith ar gyfer y dudalen hon A DALIWCH ATI NES I CHI GAEL POPETH YN GYWIR.

Newid Cyflwr

Mae NEWID CYFLWR bob amser yn golygu bod EGNI GWRES yn mynd naill ai I MEWN neu ALLAN.

Ymdoddi – y ddellten anhyblyg yn ymddatod

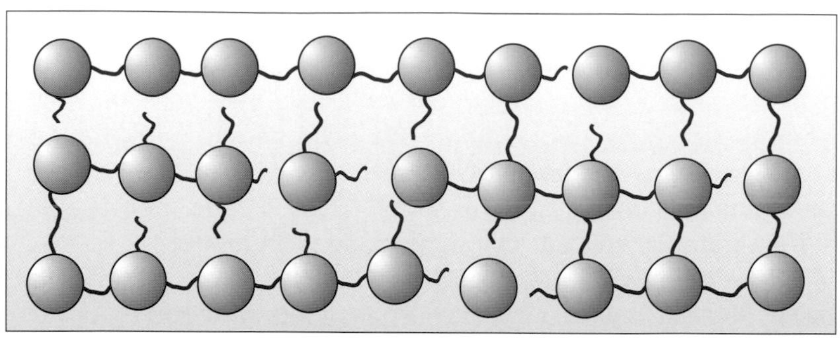

1) Pan fydd SOLID yn cael ei wresogi, mae'r egni gwres yn mynd i'r moleciwlau.
2) Wrth i hyn ddigwydd bydd y moleciwlau yn dirgrynnu mwy a mwy.
3) Ymhen amser bydd y grymoedd cryf rhwng y moleciwlau (sy'n eu dal o fewn y ddellten anhyblyg) yn cael eu goresgyn a'r moleciwlau'n dechrau symud o gwmpas. Felly mae'r solid wedi YMDODDI.

Anweddu – y moleciwlau cyflymaf yn dianc

1) Pan fydd HYLIF yn cael ei wresogi, mae'r egni gwres yn mynd i'r moleciwlau, ac mae hynny'n gwneud iddyn nhw symud yn gyflymach.
2) Bydd rhai moleciwlau yn symud yn gyflymach na'r lleill.
3) Bydd moleciwlau cyflym ar yr arwyneb yn goresgyn y grymoedd atynnol a ddaw o'r moleciwlau eraill ac yn dianc. Yr enw am hyn yw ANWEDDU.

Berwi – y moleciwlau i gyd yn ddigon cyflym i ddianc

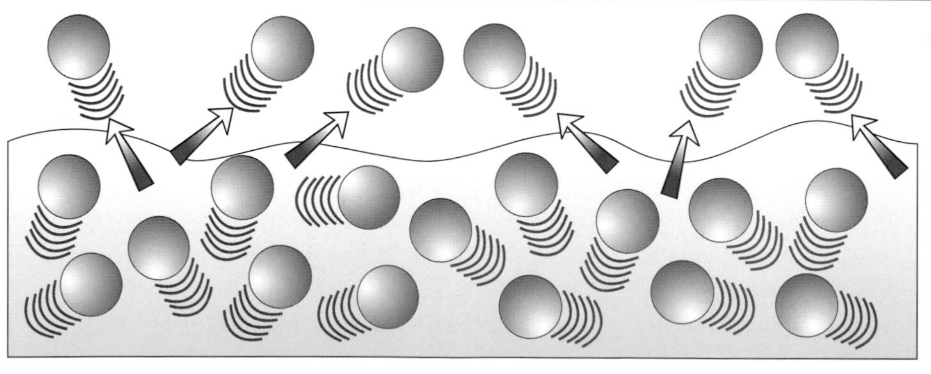

1) Pan fydd yr hylif yn ddigon poeth, mae digon o fuanedd ac egni gan bron bob un o'r moleciwlau i oresgyn y grymoedd a dianc oddi wrth ei gilydd.
2) Wrth i'r moleciwlau dorri'n rhydd oddi wrth ei gilydd, bydd swigod mawr o nwy yn ffurfio y tu mewn i'r hylif. Felly mae'r hylif yn BERWI.

Cadwch yn cŵl – mae'r cyfan yn ddigon hawdd...

Ar y dudalen hon, does dim ond tri diagram ac wyth o bwyntiau wedi'u rhifo. Maen nhw yno er mwyn i chi eu dysgu. Felly dysgwch nhw. Yna cuddiwch y dudalen ac ysgrifennwch y pwyntiau i gyd. Mae'n rhaid i chi ddeall mai dyma'r unig ffordd i ddysgu pethau'n iawn. A dysgu sydd raid.

Newid Cyflwr

Mae gan Graffiau Gwresogi ac Oeri Rannau Gwastad Pwysig

1) Pan fydd sylwedd yn YMDODDI neu'n BERWI, bydd yr holl egni gwres a gaiff ei gyflenwi yn cael ei ddefnyddio i dorri bondiau yn lle codi'r tymheredd, a dyna pam mae rhannau gwastad yn y graff gwresogi sydd i'w weld yma.

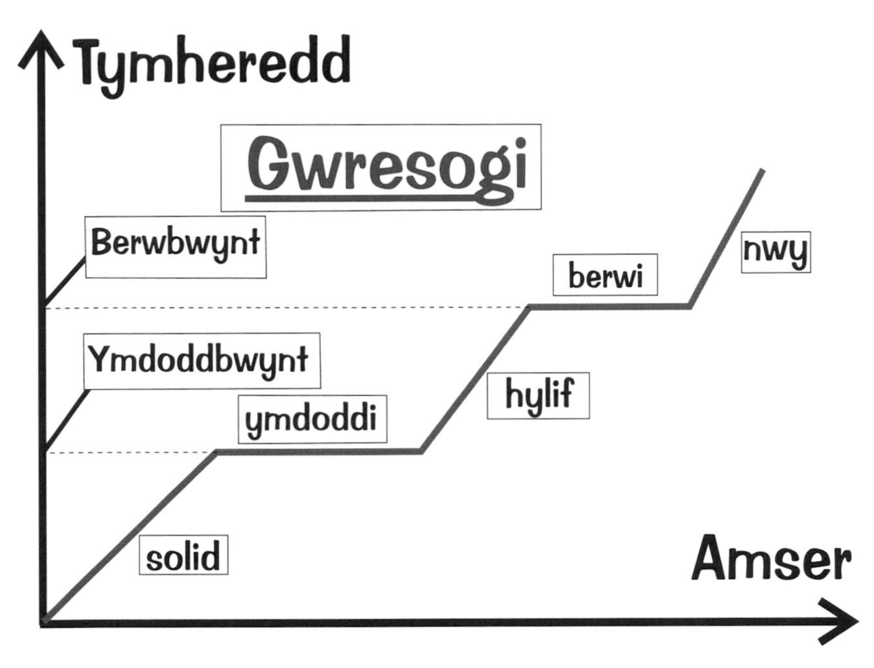

2) Wrth i'r sylwedd ymdoddi i droi'n hylif, neu pan fydd yn berwi i droi'n nwy, bydd GWRES YN CAEL EI GYMRYD I MEWN wrth i'r bondiau rhwng moleciwlau'r sylwedd gael eu torri.

3) Felly, fydd y tymheredd ddim yn codi nes bydd yr holl sylwedd wedi troi'n hylif neu'n nwy.

4) Pan fydd sylwedd yn cael ei oeri, bydd rhan wastad ar y graff tymheredd i ddangos lle mae'r sylwedd yn cyddwyso'n ôl yn hylif, a hefyd ar y rhewbwynt lle mae'n troi'n ôl o fod yn hylif i fod yn solid.

5) Pan fydd y sylwedd yn cyddwyso'n ôl yn hylif neu'n ymsolido'n ôl yn solid bydd GWRES YN CAEL EI RYDDHAU wrth i'r bondiau ffurfio rhwng ei foleciwlau.

6) Felly dydy'r tymheredd ddim yn gostwng nes bydd yr holl sylwedd wedi troi'n hylif neu'n solid.

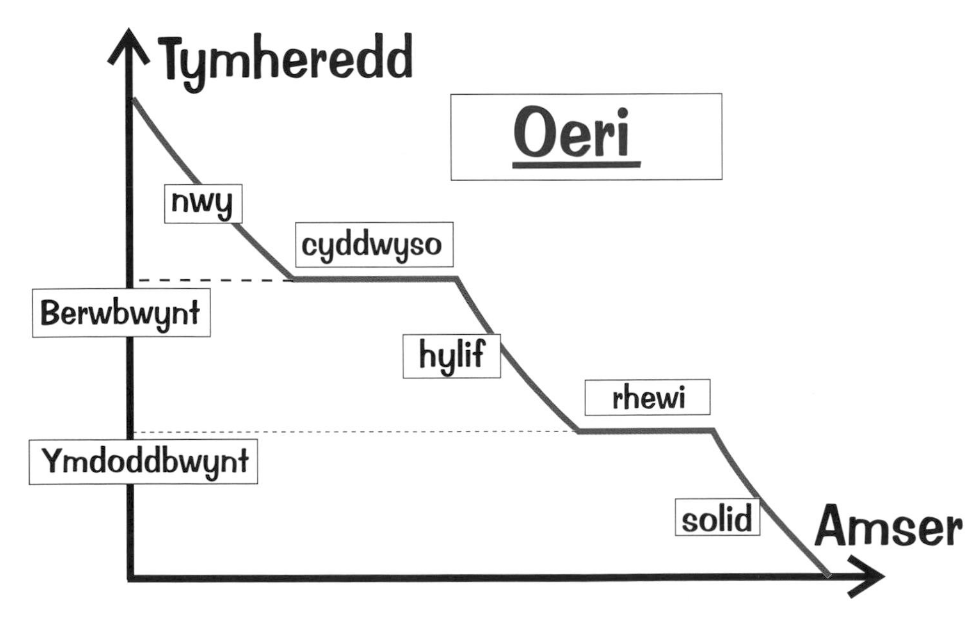

Adolygu - does dim angen mynd yn chwys domen...

Efallai y byddan nhw'n rhoi graffiau fel hyn ar y papur Arholiad – a gofyn i chi egluro'r rhannau gwastad. Cofiwch am yr egni gwres sy'n mynd at dorri'r bondiau, ac yna'n cael ei ryddhau eto pan fydd y bondiau'n ailffurfio. Dysgwch a mwynhewch!

Atomau

Peth syml iawn yw adeiledd atom. Does dim ond rhaid i chi edrych ar y diagram i weld hynny. Rhywbeth bach arall i'w ddysgu – a'i fwynhau!

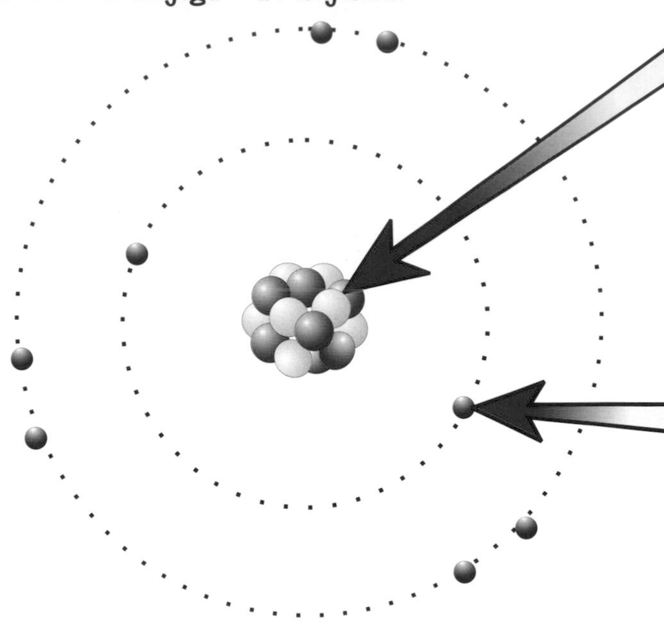

Y Niwclews

1) Mae'r niwclews yng nghanol yr atom.
2) Mae'n cynnwys protonau a niwtronau.
3) Mae gwefr bositif ganddo oherwydd y protonau.
4) Mae holl fàs yr atom, bron, wedi'i grynodi yn y niwclews.
5) Ond, o ran maint, mae'r niwclews yn fychan iawn o'i gymharu â'r atom cyfan.

Yr Electronau

1) Mae'r electronau'n symud o amgylch y niwclews.
2) Gwefr negatif sydd gan yr electronau.
3) Er eu bod yn fychan iawn maen nhw'n llanw llawer o ofod.
4) Cyfaint eu horbitau sy'n pennu pa mor fawr yw'r atom.
5) Does braidd dim màs ganddyn nhw.
6) Maen nhw mewn plisg sydd o amgylch y niwclews.
7) Y plisg hyn sy'n esbonio Cemeg i gyd.

Peidiwch ag anghofio bod atomau yn fychan iawn iawn.
Maen nhw yn llawer rhy fach i'w gweld, hyd yn oed gyda microsgop.

Mae Nifer y Protonau yn Hafal i Nifer yr Electronau

1) Does dim gwefr gan atomau niwtral yn gyffredinol.
2) Mae'r wefr ar yr electronau yr un maint â'r wefr ar y protonau ond yn ddirgroes.
3) Mae hyn yn golygu bod nifer y protonau bob amser yn hafal i nifer yr electronau mewn atom niwtral.
4) Os caiff rhai electronau eu hychwanegu neu eu tynnu, yna bydd gwefr gan yr atom, a'r enw ar atom felly yw ÏON.
5) Does dim nifer pendant o niwtronau ond, fel rheol, mae'r nifer ychydig yn fwy na nifer y protonau.

Dysgwch eich Gronynnau

Mae PROTONAU yn DRWM â GWEFR BOSITIF
Mae NIWTRONAU yn DRWM ac yn NIWTRAL
Mae ELECTRONAU yn Fychan bach â GWEFR NEGATIF

GRONYN	MÀS	GWEFR
Proton	1	+1
Niwtron	1	0
Electron	$1/2000$	- 1

Fel yr Atom, dydy'r ffeithiau hyn ddim yn cymryd llawer o le...

Dylai pawb wybod y ffeithiau hyn am yr atom. Mae'n anodd deall, wir, sut gall pobl fyw bob dydd heb wybod y ffeithiau hyn i gyd. DYSGWCH Y FFEITHIAU AR UNWAITH, a gwyliwch y Bydysawd yn datgelu ei hen, hen ddirgelion i chi...

Rhif Atomig a Rhif Màs

Dim llawer i'w ddysgu yma – dim ond dau rif.
Maen nhw'n dangos dau beth am yr atom, fydd yn rhwydd i chi eu cofio.

Y RHIF MÀS — Cyfanswm y Protonau a'r Niwtronau

Y RHIF ATOMIG — Nifer y Protonau

$^{23}_{11}Na$

PWYNTIAU PWYSIG

1) Mae'r rhif atomig yn dweud faint o brotonau sydd.
2) Mae hwn hefyd yn dweud sawl electron sydd.
3) Er mwyn cael nifer y niwtronau – tynnwch y rhif atomig o'r rhif màs.
4) Y rhif màs yw'r rhif mwyaf bob tro. Mae'n dweud wrthych beth yw màs cymharol yr atom.
5) Mae'r rhif màs bob amser tua dwbl y rhif atomig.
6) Mae hyn yn golygu bod tua'r un nifer o brotonau a niwtronau mewn unrhyw niwclews.

Isotopau: mae pob isotop yr un peth ond am un neu ddau niwtron

Un o hoff gwestiynau tric papurau Arholiad: "Eglurwch ystyr y term Isotop"
Y tric yw ei bod yn amhosibl egluro beth yw un isotop.
Rhaid i chi fod yn gyfrwys, drwy ddechrau eich ateb bob amser â'r geiriau: *"MAE ISOTOPAU..."*
DYSGWCH Y DIFFINIAD:

MAE ISOTOPAU: yn ffurfiau atomig gwahanol ar yr un elfen, gyda'r UN nifer o BROTONAU ond nifer GWAHANOL o NIWTRONAU

1) Hynny yw: mae'n rhaid i isotopau fod â'r un rhif atomig, ond gwahanol rif màs.
2) Pe byddai eu rhifau atomig yn wahanol, yna gwahanol elfennau'n hollol fydden nhw.
3) Pâr poblogaidd iawn o isotopau yw carbon-12 ac, yn gwmni, carbon-14.

Carbon-12

$^{12}_{6}C$

6 PHROTON
6 ELECTRON
6 NIWTRON

Carbon-14

$^{14}_{6}C$

6 PHROTON
6 ELECTRON
8 NIWTRON

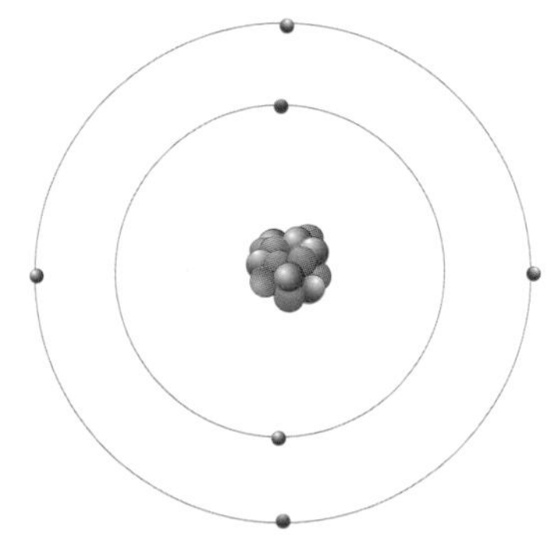

Mae cemeg elfen yn cael ei phennu gan nifer yr electronau. Os yw'r rhif atomig yr un peth, yna bydd nifer y protonau yr un peth, felly bydd nifer yr electronau yr un peth, felly bydd y cemeg yr un peth.
Dydy'r nifer gwahanol o niwtronau yn y niwclews ddim yn effeithio ar yr ymddygiad cemegol o gwbl.

Dysgwch beth yw ystyr y tipyn rhifau yna...

Ar y dudalen hon, does dim ond tri diffiniad, dau ddiagram a thua dwsin o fân bwyntiau. Felly yr unig beth sydd angen i chi ei wneud yw DARLLEN Y CWBL, DYSGU'R CWBL, CUDDIO'R DUDALEN ac YSGRIFENNU'R CWBL HEB EDRYCH. A gwenu a mwynhau...

Plisg Electronau a Bondio Ïonig

Electronau mewn plisg o gwmpas y niwclews sy'n achosi cemeg i gyd. Ffaith! Cofiwch hyn, a gwyliwch sut mae'n berthnasol i bob rhan o gemeg. Mae'n rhyfeddod!

Rheolau Plisg Electronau:

1) Mae electronau bob amser mewn PLISG neu LEFELAU EGNI.
2) Y lefelau egni ISAF sydd bob amser yn cael eu LLENWI GYNTAF.
3) Dim ond nifer penodol o electronau sy'n cael bod ym mhob plisgyn:
   Plisgyn 1af: 2
   2il blisgyn: 8
   3ydd plisgyn: 8
4) Mae atomau'n llawer mwy HAPUS pan fydd eu plisg electronau yn LLAWN.
5) Yn y rhan fwyaf o atomau DYDY'R PLISGYN ALLANOL DDIM YN LLAWN; mae hyn yn gwneud i'r atom eisiau ADWEITHIO.

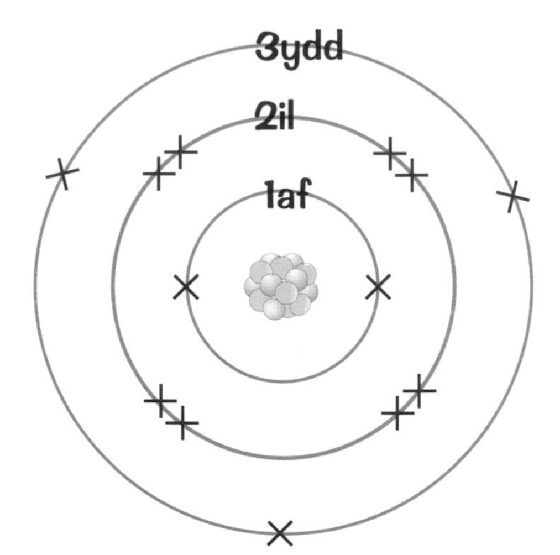

Y 3ydd plisgyn yn dal i lenwi

Mae plisgyn â dim ond un electron yn barod iawn i'w golli...

1) Mae gan yr holl atomau ar ochr chwith y tabl cyfnodol, megis sodiwm, potasiwm, calsiwm, ac ati un neu ddau electron yn unig yn eu plisgyn allanol.
2) A dweud y gwir maen nhw'n barod iawn i gael gwared arnyn nhw gan adael dim ond plisg llawn ar ôl.
3) Felly maen nhw'n achub ar bob cyfle i golli'r electronau, sy'n gadael i'r atom droi'n ÏON.
4) Pethau bywiog iawn yw ïonau a dydyn nhw ddim yn llonydd, byth.
5) Maen nhw'n tueddu i neidio ar yr ïon cyntaf â gwefr dirgroes sy'n digwydd mynd heibio, a glynu wrtho'n dynn.

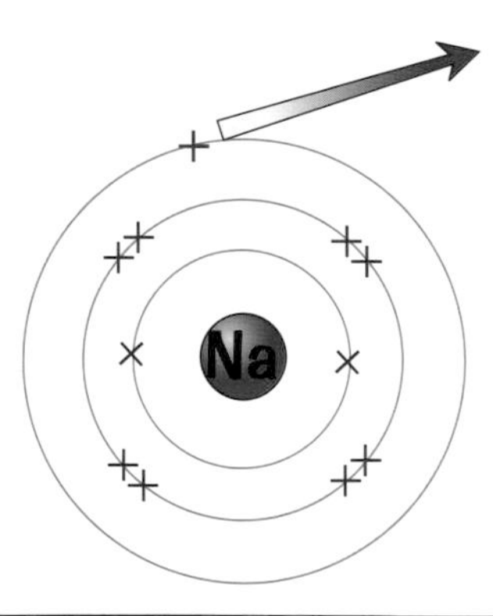

Mae plisgyn sydd bron â bod yn llawn yn barod iawn i ennill electron arall...

1) Ar ochr arall y tabl cyfnodol, mae gan yr elfennau yng Ngrŵp Chwech a Grŵp Saith, megis ocsigen a chlorin, blisg allanol sydd bron â bod yn llawn.
2) Maen nhw'n barod iawn i ennill un neu ddau electron er mwyn llenwi'r plisgyn.
3) Wrth wneud hyn maen nhw'n troi'n ÏONAU sydd, fel y cofiwch, yn fywiog, ac yn neidio – CHWAP! - ar yr atom (ïon) a gafodd wared ar yr electron ennyd ynghynt. Mae adwaith sodiwm a chlorin yn enghraifft wych o hyn. Yn y diagram ar y dudalen nesaf, gellwch weld beth sy'n digwydd.

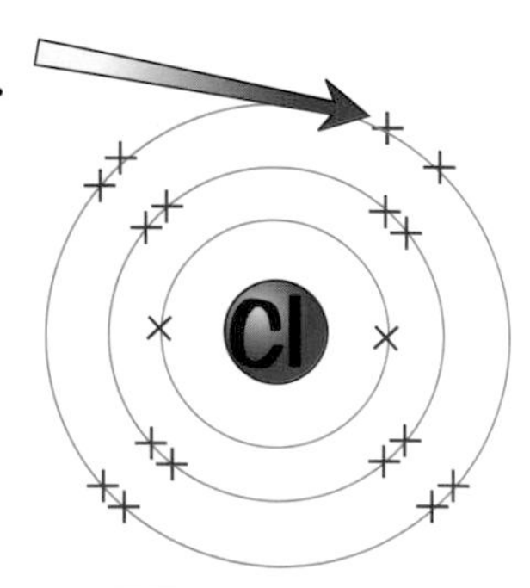

Plisg Llawn – dyna'r nod ...

Mae llawer o eiriau ar y dudalen hon ond dau bwynt pwysig iawn sydd yma mewn gwirionedd:
1) Mae gan electronau blisg – ac mae gan blisg electronau reolau.
2) Mae rhai atomau'n hoffi colli electronau, a rhai eraill yn hoffi ennill electronau.
DYSGWCH BOPETH SYDD MEWN PRINT LLIW.

Bondio Ïonig a Bondio Cofalent

Mewn BONDIO ÏONIG, bydd atomau'n colli neu'n ennill electronau i ffurfio gronynnau wedi'u gwefru (ïonau) sydd ag atyniad cryf i'w gilydd (atyniad gwefrau dirgroes, + a –). Mewn BONDIO COFALENT, mae'r electronau'n cael eu rhannu, nid eu cyfnewid.

Bondio Ïonig – Cyfnewid Electronau

1) Mae bondio ïonig yn hawdd ei ddeall.
2) Mae electronau'n neidio o un atom i'r llall nes bod eu plisg electronau'n llawn ar y diwedd.
3) Yna mae atyniad rhwng y ddau oherwydd bod ganddyn nhw wefrau dirgroes.

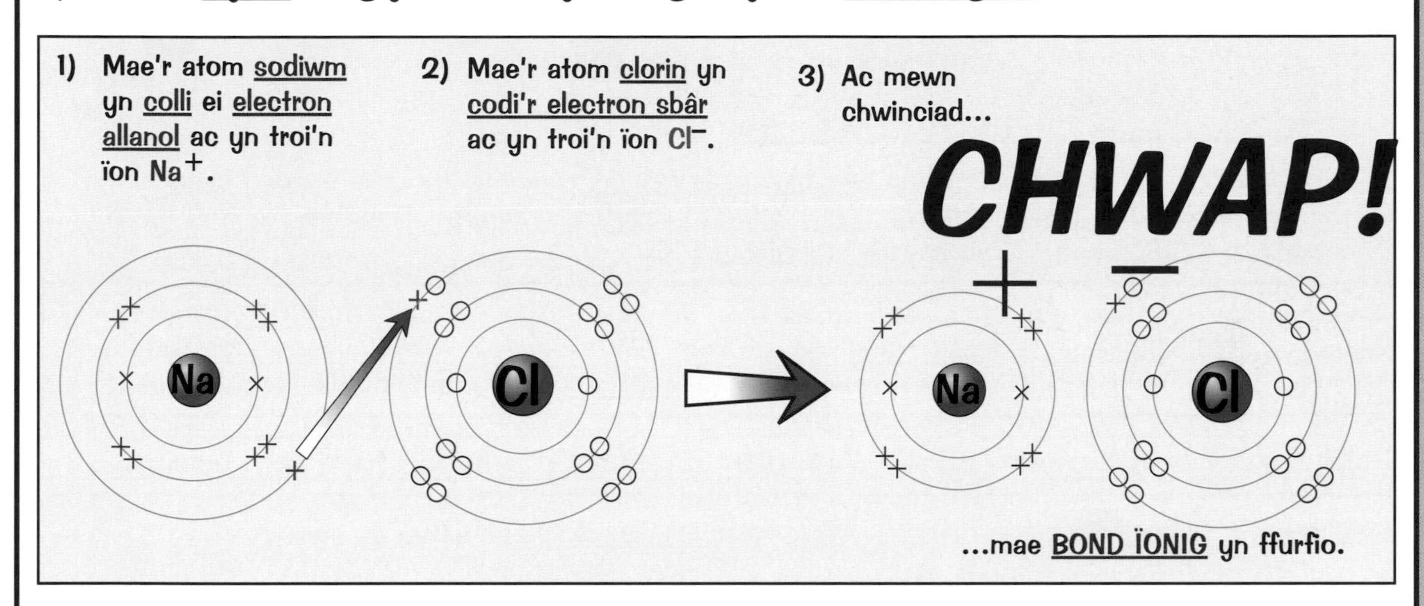

Bondiau Cofalent – Rhannu Electronau

1) Weithiau mae'n well gan atomau ffurfio BONDIAU COFALENT drwy rannu electronau gydag atomau eraill.
2) Fel hyn mae dau atom yn teimlo bod plisgyn allanol llawn ganddo, a dyma sy'n eu gwneud yn hapus.
3) Ar gyfer y naill atom a'r llall, mae pob bond cofalent yn cynnig un electron ychwanegol wedi'i rannu.
4) Mae'n rhaid i bob un o'r atomau sy'n rhan o gyfansoddyn ffurfio digon o fondiau cofalent i lenwi eu plisg allanol.

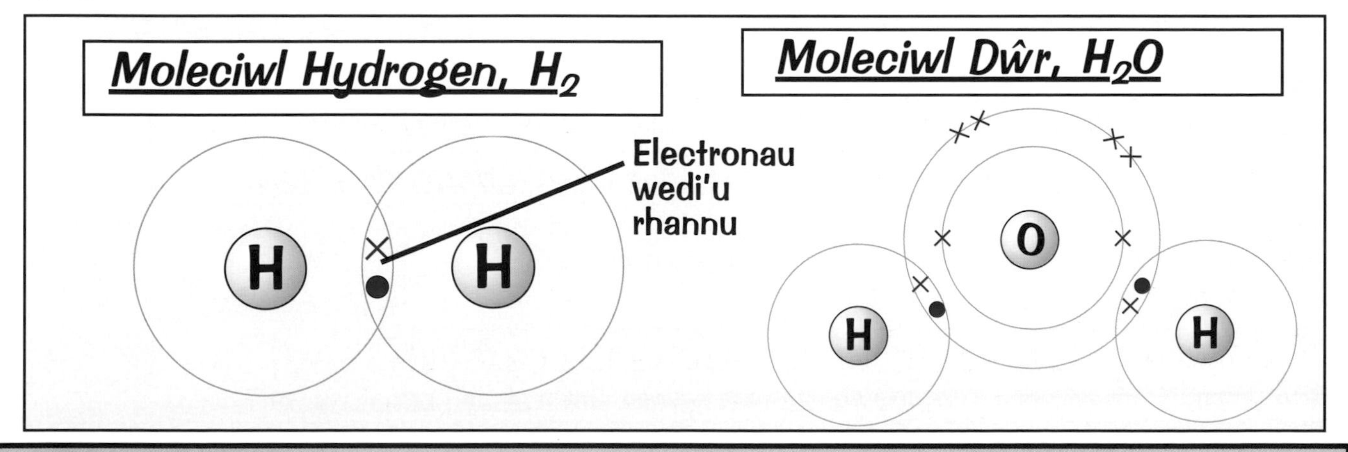

Plisg llawn – does dim byd gwell...

DYSGWCH y diagram sy'n dangos sut mae bondiau ïonig yn cael eu ffurfio mewn tri cham.
DYSGWCH y pedwar pwynt am fondiau cofalent, a hefyd y ddwy enghraifft.
Yna trowch y llyfr drosodd ac ysgrifennu'r cyfan – ar eich cof wrth gwrs!

Sylweddau Ïonig

Ïonau Syml – Grwpiau 1 & 2 a 6 & 7

1) Yr elfennau mwyaf parod i ffurfio ïonau yw elfennau Grwpiau 1, 2, 6 a 7.
2) Metelau yw elfennau Grwpiau 1 a 2. Maen nhw'n colli electronau o'u plisg allanol i ffurfio ïonau +if, sef catïonau.
3) Anfetelau yw elfennau Grwpiau 6 a 7. Maen nhw'n ennill electronau i ffurfio ïonau -if, sef anïonau.
4) Gwnewch yn siŵr eich bod yn gwybod y rhai syml hyn:

CATÏONAU		ANÏONAU	
Gr I	Gr II	Gr VI	Gr VII
Li^+	Be^{2+}	O^{2-}	F^-
Na^+	Mg^{2+}		Cl^-
K^+	Ca^{2+}		

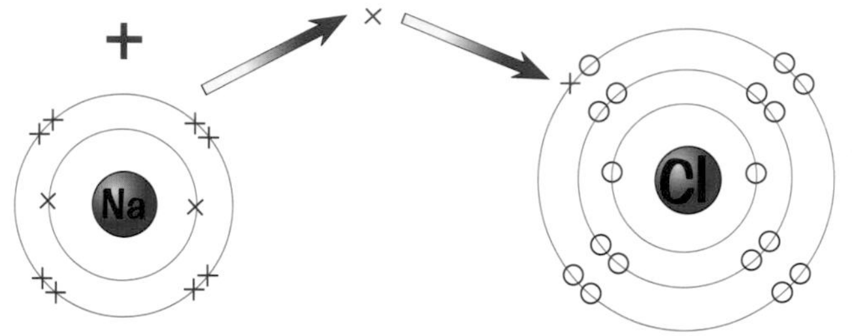

5) Wrth i unrhyw rai o'r elfennau uchod adweithio gyda'i gilydd maen nhw'n ffurfio bondiau ïonig.
6) Dim ond elfennau ar ochrau cyferbyn y tabl cyfnodol sy'n ffurfio bondiau ïonig, e.e. Na ac Cl, wrth i un newid i roi CATÏON (+if) a'r llall newid i roi ANÏON (-if).

Cofiwch: Mae'r gwefrau + a – (e.e. Na^+ am sodiwm) yn dweud pa fath o ïon FYDD YN FFURFIO o'r atom mewn adwaith cemegol. Mewn metel sodiwm, does dim ond atomau sodiwm niwtral, Na. Fydd yr ïonau Na^+ ddim yn ymddangos nes i'r metel sodiwm adweithio gyda rhywbeth megis dŵr neu glorin.

Adeileddau Ïonig Enfawr - dydy'r rhain ddim yn ymdoddi'n hawdd, ond wrth wneud...

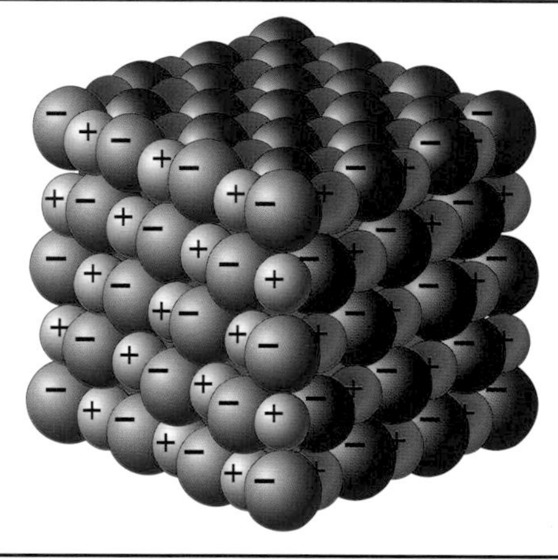

1) Mae bondiau ïonig bob amser yn cynhyrchu adeileddau ïonig enfawr.
2) Mae'r ïonau'n ffurfio trefniant rheolaidd wedi'i bacio'n dynn, fel sydd i'w weld yn y diagram.
3) Mae bondiau cemegol cryf iawn rhwng yr holl ïonau.
4) Un ddellten ïonig enfawr yw un grisial o halen a dyna pam mae grisialau halen yn tueddu i fod ar ffurf ciwboid:

1) Mae ganddyn nhw Ymdoddbwyntiau a Berwbwyntiau Uchel

oherwydd y bondiau cemegol cryf iawn rhwng yr holl ïonau yn yr adeiledd enfawr.

2) Maen nhw'n Hydoddi i ffurfio hydoddiannau sy'n dargludo trydan

Wrth hydoddi, mae'r ïonau'n gwahanu ac yn rhydd i symud yn yr hydoddiant felly, wrth reswm, byddan nhw'n cludo cerrynt trydan.

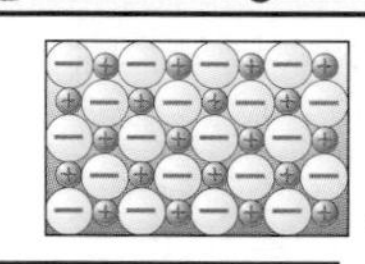

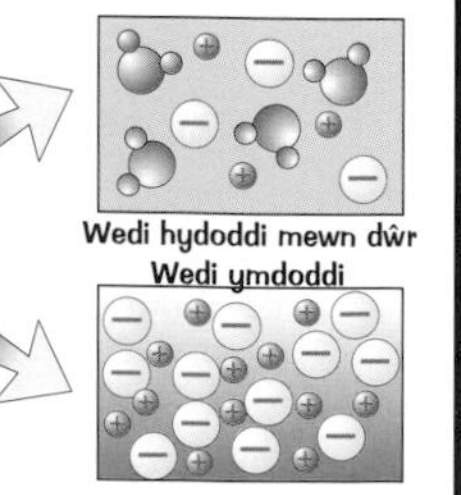

3) Maen nhw'n Dargludo trydan pan fyddan nhw yn y ffurf tawdd

Wrth ymdoddi, mae'r ïonau'n rhydd i symud felly byddan nhw'n cludo cerrynt trydan.

Adeileddau Enfawr – fel grisialau halen? Ie'n wir!!

DYSGWCH pa atomau sy'n ffurfio ïonau 1+, 1–, 2+ a 2–, a'r rheswm pam (edrychwch ar dudalen 6). Yna dysgwch holl briodweddau solidau ïonig. Pan fyddwch yn credu eich bod yn gwybod y cyfan, cuddiwch y dudalen a dechreuwch ysgrifennu, i weld beth sydd ar eich cof... Yna ewch nôl i ddysgu'r gweddill. Ac eto fyth.

Sylweddau Cofalent a Metelau

Mae gan Sylweddau Cofalent Adeileddau Syml neu Enfawr

Gall sylweddau sy'n ffurfio o fondiau cofalent fod yn foleciwlau syml neu yn adeileddau enfawr.

1) Mae'r atomau'n ffurfio bondiau cofalent cryf iawn i ffurfio moleciwlau bychain sydd â nifer o atomau.
2) Mae'r grymoedd atynnol rhwng y moleciwlau hyn yn wan iawn.
3) Canlyniad y grymoedd rhyng-foleciwlaidd gwan hyn yw bod yr ymdoddbwyntiau a'r berwbwyntiau yn isel iawn. Y rheswm am hyn yw bod y moleciwlau yn gwahanu'n rhwydd oddi wrth ei gilydd.
4) Ar dymheredd ystafell, mae'r rhan fwyaf o sylweddau moleciwlaidd yn nwyon neu'n hylifau.
5) Fydd sylweddau moleciwlaidd ddim yn dargludo trydan, oherwydd nad oes ïonau.
6) Fel rheol, dydyn nhw ddim yn hydoddi mewn dŵr.
7) Fel arfer, mae modd adnabod sylwedd moleciwlaidd dim ond o'r cyflwr ffisegol, sydd bob amser yn "feddal" – h.y. hylif neu nwy neu solid sy'n ymdoddi'n rhwydd.

Grymoedd rhyng-foleciwlaidd gwan iawn

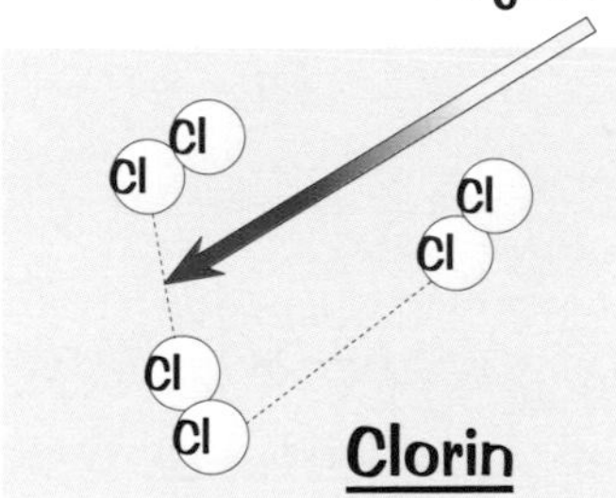

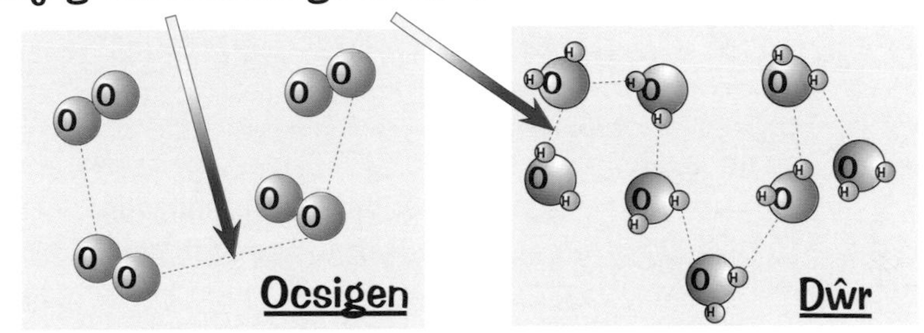

8) Mae adeileddau cofalent enfawr yn wahanol. Yn y sylweddau hyn, mae bondiau cofalent cryf iawn yn uno'r holl atomau i ffurfio adeiledd enfawr. Mae diemwnt yn enghraifft nodweddiadol. Fel rheol, maen nhw'n anhydawdd mewn dŵr ac mae ganddyn nhw ymdoddbwyntiau a berwbwyntiau uchel iawn.

Mae Priodweddau Metelau yn ganlyniad i'r Môr o Electronau Rhydd

1) Mae gan y metelau adeiledd enfawr hefyd.
2) Mae bondiau metelig yn defnyddio'r "electronau rhydd" hollbwysig, sy'n achosi holl briodweddau metelau. Mae'r electronau rhydd hyn yn dod o blisg allanol pob un o'r atomau metel yn yr adeiledd.
3) Mae'r electronau hyn yn rhydd i symud, felly mae metelau yn dargludo gwres a thrydan.
4) Hefyd, mae'r electronau hyn yn dal yr atomau ynghyd mewn adeiledd rheolaidd.
5) Maen nhw hefyd yn caniatáu i'r atomau lithro dros ei gilydd, fel bo metelau yn hydrin (sy'n golygu y gallwch wneud pethau defnyddiol gyda nhw, megis eu rholio'n llenfetel).

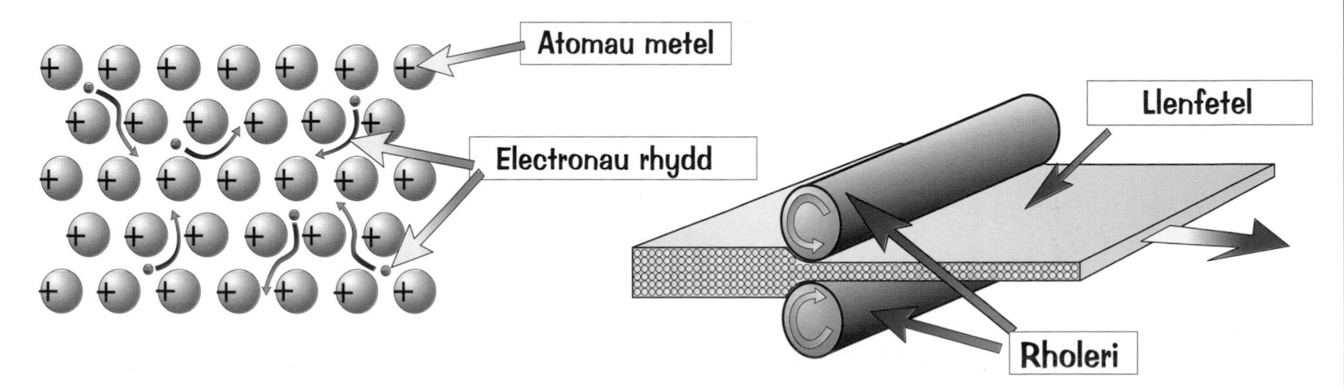

'Mlaen â chi...

Fel rheol, mae sylweddau cofalent yn feddal fel stwnsh, heblaw'r rhai enfawr arbennig megis diemwnt, sy'n gryf. Mae metelau'n gryf iawn hefyd, ac yn dargludo trydan. Mae hwn yn waith elfennol – marciau hawdd i'w hennill ... neu golli. Cuddiwch y dudalen i weld sawl marc fyddwch chi'n ENNILL.

Elfennau, Cyfansoddion a Chymysgeddau

Gwell i chi wneud yn siŵr eich bod yn gwybod y mân wahaniaethau rhwng y rhain.

Mae Elfennau'n cynnwys un math o atom yn unig

Mae llawer o sylweddau bob dydd yn elfennau:

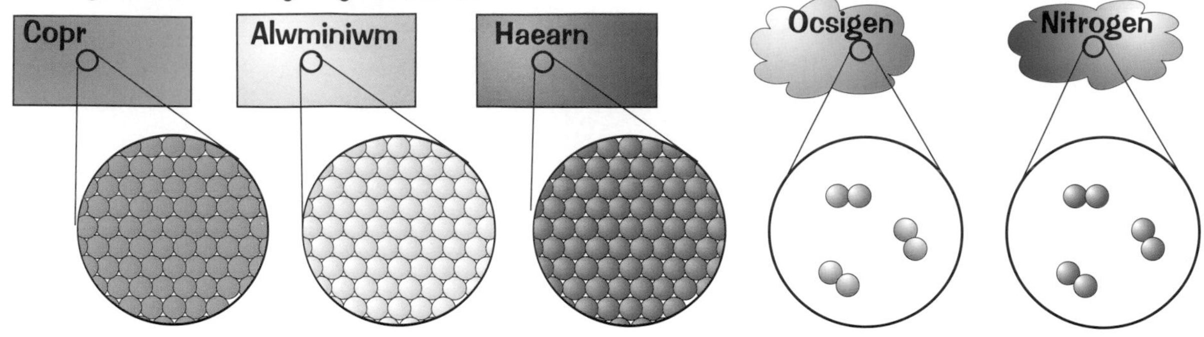

Mae'n hawdd gwahanu cymysgeddau

1) Cymysgedd o nwyon yw aer.
   Mae'n eithaf hawdd gwahanu yr ocsigen, y nitrogen, yr argon, a'r carbon deuocsid.
2) Does dim bond cemegol rhwng gwahanol rannau cymysgedd.
3) Cymysgedd o briodweddau y gwahanol rannau yw priodweddau cymysgedd.
4) Bydd cymysgedd o bowdr haearn a phowdr sylffwr yn arddangos priodweddau haearn a sylffwr.
   Bydd yn cynnwys darnau llwyd magnetig o haearn, a darnau melyn llachar o sylffwr.

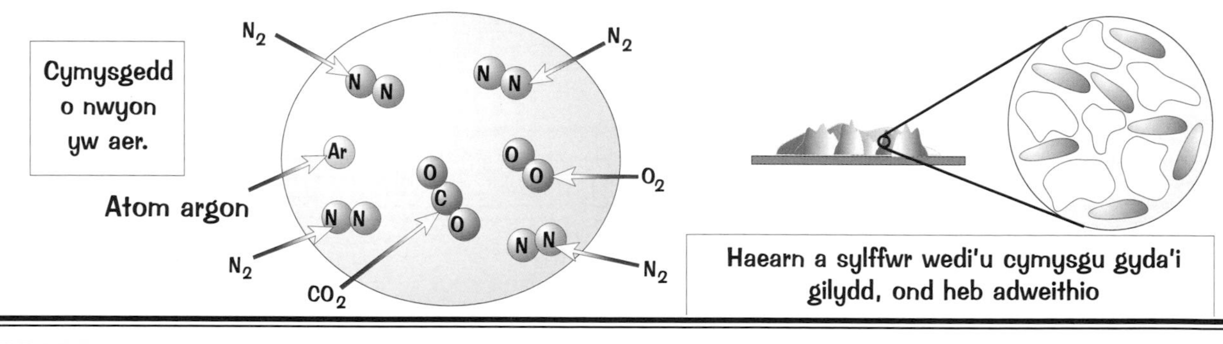

Mae cyfansoddion wedi eu bondio'n gemegol

1) Mae grymoedd cryfion o'r enw bondiau cemegol yn dal y gronynnau mewn cyfansoddion gyda'i gilydd.
2) Cyfansoddyn yw carbon deuocsid sy'n cael ei ffurfio gan adwaith cemegol rhwng carbon ac ocsigen.
3) Unwaith y bydd y ddwy elfen wreiddiol gyda'i gilydd, mae'n anodd iawn eu gwahanu.
4) Mae priodweddau cyfansoddyn yn gwbl wahanol i briodweddau yr elfennau gwreiddiol.
5) Wrth i haearn a sylffwr adweithio i ffurfio haearn sylffid, mae'n ffurfio cyfansoddyn sy'n lwmp solid, llwyd; dydy'r cyfansoddyn hwn ddim yn adweithio'n debyg o gwbl i haearn na sylffwr.

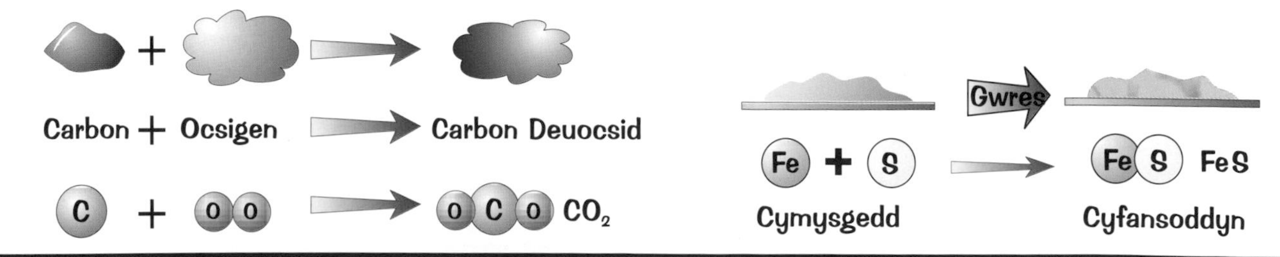

Cyfansoddion a chymysgeddau – peidiwch â'u cymysgu !!!

Elfennau, cymysgeddau a chyfansoddion. I'r rhan fwyaf o bobol, maen nhw'n swnio'n debyg iawn i'w gilydd. Ha! Dydy arholwyr TGAU ddim yn meddwl eu bod yn debyg o gwbl! Rhaid i chi gofio'u gwahanol enwau, a sut maen nhw'n wahanol i'w gilydd. Unwaith eto – marciau rhwydd i'w hennill – neu golli!

Profion Cyffredin a Symbolau Perygl

Mae'n rhaid i chi wybod y **PROFION SYML** hyn. Mae **CHWECH** i gyd.

1) Mae clorin yn cannu papur litmws llaith

(h.y. mae'n troi'r papur yn wyn).

2) Mae ocsigen yn ailgynnau sblint sy'n mudlosgi

Y prawf safonol ar gyfer ocsigen yw ei fod yn ailgynnau sblint sy'n mudlosgi.

3) Mae carbon deuocsid yn troi dŵr calch yn llaethog

Pan fydd carbon deuocsid yn byrlymu drwy ddŵr calch, mae'n troi'r dŵr calch yn llaethog.

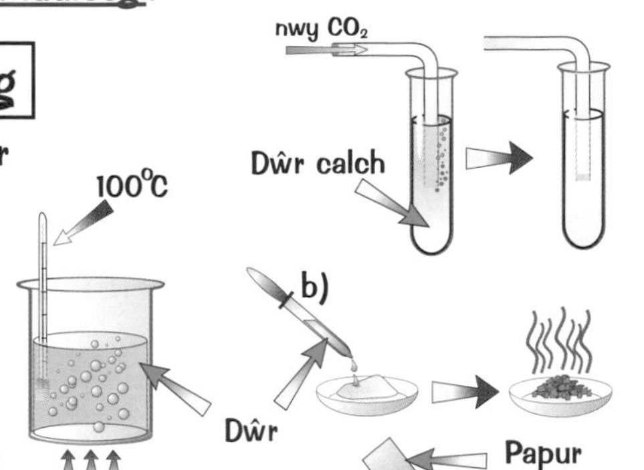

4) Profion yn y labordy ar gyfer dŵr – tri i gyd

Mae tair ffordd o ganfod dŵr:

a) drwy'r berwbwynt o 100°C
b) drwy weld copr sylffad anhydrus gwyn yn troi'n gopr sylffad hydradol glas (a mynd yn boeth)
c) drwy weld papur cobalt clorid anhydrus yn newid lliw o las i binc.

5) Prawf labordy ar gyfer Hydrogen – y "Pop Gwichlyd" enwog

Rhowch sblint sy'n llosgi yn agos at y nwy, gydag aer o'i amgylch.
Os hydrogen yw, byddwch yn clywed "pop gwichlyd" wrth iddo losgi gydag ocsigen o'r aer i ffurfio H_2O.

6) Prawf labordy ar gyfer Alcenau – maen nhw'n dadliwio Bromin

(h.y. mae alcenau'n troi bromin yn glir).

Symbolau Perygl

Y symbolau swyddogol ar gyfer "niweidiol" neu "llidus" yw croes ddu. Bydd rhai cynhyrchion yn ychwanegu "h" neu "i" i ddangos y gwahaniaeth.

Ocsidiol

Arwydd bod rhywbeth yn rhoi ocsigen, sy'n caniatáu i ddefnyddiau eraill losgi'n fwy grymus.
ENGHRAIFFT: Ocsigen hylifol.

Fflamadwy Dros Ben

Mae'n mynd ar dân yn hawdd
ENGHRAIFFT: Petrol.

Gwenwynig

Gall achosi marwolaeth pan fydd naill ai'n cael ei lyncu, ei anadlu i mewn, neu ei amsugno drwy'r croen.
ENGHRAIFFT: Cyanid.

Niweidiol

Tebyg i wenwynig ond ddim mor beryglus.
ENGHRAIFFT: Petrol, meths.

Llidus

Nid yw'n gyrydol ond gall wneud i'r croen gochi neu godi'n bothelli.
ENGHRAIFFT: Hylif cannu, plant (Ha, ha).

Cyrydol

Rhywbeth sy'n ymosod ar feinwe byw a'i ddinistrio, gan gynnwys y llygaid a'r croen.
ENGHRAIFFT: Asid sylffwrig.

Dysgwch y Profion Labordy – chwech i gyd – mae mor rhwydd â'r "pop gwichlyd"...

Mae hwn yn waith go sylfaenol, ond bydd rhai pobl yn colli marciau yn yr Arholiad drwy beidio â dysgu'r manylion yn fanwl. Mae 'run mor wir am bopeth yn y llyfr hwn. Does dim gwerth bwrw golwg ar dudalen yn ddioglyd a meddwl, "O ie, dwi'n gwybod hwn i gyd". Rhaid i chi ofalu eich bod **YN GWYBOD Y CYFAN YN IAWN**. A dim ond un ffordd sy... gwnewch hynny 'nawr.

Crynodeb Adolygu Adran Un

Dydy'r cwestiynau yma ddim yn hawdd. Does dim cliwiau, felly bydd yn brawf i weld faint yn hollol rydych chi'n ei wybod. Efallai y byddwch yn credu i ddechrau eu bod yn amhosibl. Ond cyn bo hir gallwch ddeall eu bod yn profi a ydych chi wedi dysgu popeth ai peidio. Os yw'r cwestiynau'n anodd iawn, mae angen mwy o waith adolygu.

1) Beth yw tri chyflwr mater?
2) Disgrifiwch y bondio a safle'r atomau yn y tri chyflwr.
3) Disgrifiwch briodweddau ffisegol pob un o'r tri chyflwr hyn.
4) Beth yw'r tair ffordd o newid rhwng tri chyflwr mater?
5) Eglurwch beth sy'n digwydd yn y tair proses, yn nhermau bondiau ac egni gwres.
6) Gwnewch fraslun o ddau graff – graff gwresogi a graff oeri – gyda digon o labeli.
7) Eglurwch pam mae gan y graffiau hyn rannau gwastad.
8) Gwnewch fraslun o atom. Rhowch dri manylyn am y niwclews a phump manylyn am yr electronau.
9) Beth yw enwau'r gronynnau a geir mewn atom? Mae tri gwahanol fath.
10) Gwnewch dabl yn dangos eu masau a'u gwefrau cymharol.
11) Sut mae nifer y gronynnau hyn yn cymharu â'i gilydd mewn atom niwtral?
12) Beth mae'r rhif màs a'r rhif atomig yn eu cynrychioli?
13) Eglurwch beth yw isotop. (!) Rhowch enghraifft adnabyddus.
14) Gwnewch restr o bump ffaith ("Y Rheolau") am blisg electronau.
15) Beth yw bondio ïonig? Pa fath o atomau sy'n hoffi bondio'n ïonig?
16) Pam mae atomau'n hoffi ffurfio bondiau ïonig?
17) Beth yw bondio cofalent?
18) Pam mae rhai atomau'n ffurfio bondiau cofalent, yn lle bondiau ïonig?
19) Rhowch ddau enghraifft o foleciwlau cofalent, a gwnewch fraslun o ddiagramau sy'n dangos yr electronau.
20) Pa fath o ïonau sy'n cael eu ffurfio gan elfennau Grwpiau I a II, a'r rhai yng Ngrwpiau VI a VII?
21) Gwnewch ddiagram o ddellten ïonig enfawr.
22) Gwnewch restr o dair prif briodwedd cyfansoddion ïonig.
23) Beth yw'r ddau fath o sylwedd cofalent? Rhowch dair enghraifft o bob un.
24) Rhowch dair priodwedd ffisegol ar gyfer y ddau fath o sylwedd cofalent.
25) Eglurwch sut mae'r bondio yn y ddau fath o sylwedd cofalent yn gyfrifol am eu priodweddau ffisegol.
26) Beth yw'r gwahaniaeth rhwng elfennau, cymysgeddau a chyfansoddion?
27) Rhowch dair enghraifft yr un o elfennau, cymysgeddau a chyfansoddion.
28) Rhowch fanylion llawn y profion labordy ar gyfer y canlynol:

    a) Clorin, b) ocsigen, c) carbon deuocsid, ch) dŵr (3), d) hydrogen.
29) Gwnewch frasluniau o'r chwech Symbol Perygl, gan egluro beth yw eu hystyr a rhoi enghraifft ar gyfer pob un.

Distyllu Ffracsiynol Olew Crai

1) Tanwydd ffosil yw olew crai. Caiff ei ffurfio o weddillion planhigion ac anifeiliaid a gafodd eu claddu yn y ddaear. Ar ôl miliynau o flynyddoedd o wres a gwasgedd, mae'r gweddillion yn newid yn olew crai, ac mae modd cael yr olew hwn allan o'r ddaear drwy ddrilio amdano.
2) Cymysgedd yw olew crai o hydrocarbonau â moleciwlau o wahanol feintiau.
3) Tanwyddau megis petrol a diesel yw hydrocarbonau yn bennaf, wedi'u gwneud o ddim ond carbon a hydrogen.
4) Po fwyaf a hiraf yw'r moleciwlau, y lleiaf hylifol yw'r hydrocarbon (tanwydd).
5) Mae distyllu ffracsiynol yn gwahanu olew crai yn wahanol ffracsiynau.
6) Po fyrraf yw'r moleciwlau, yr isaf fydd y tymheredd pan fydd y ffracsiwn yn cyddwyso.

Mae Olew Crai yn cael ei Wahanu yn Hydrocarbonau (Tanwyddau) Gwahanol

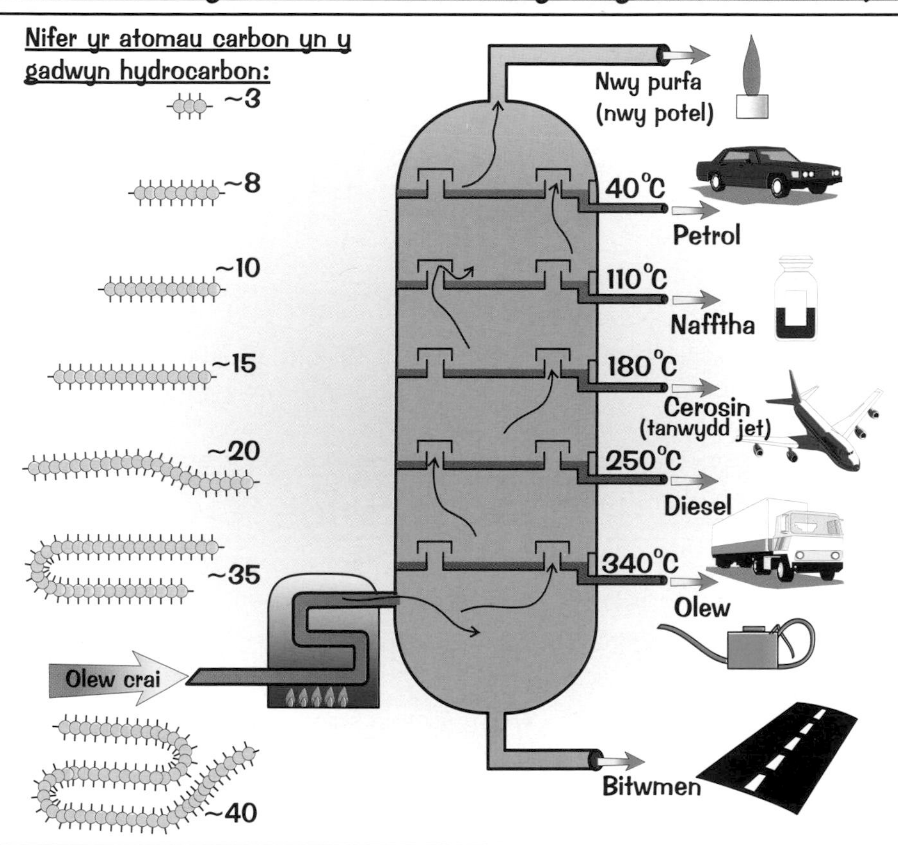

Mae'r golofn ffracsiynu yn gweithio'n barhaus. Bydd olew crai poeth yn cael ei bwmpio i mewn drwy'r gwaelod. Mae'r gwahanol ffracsiynau yn cael eu tapio i ffwrdd yn gyson ar y gwahanol lefelau lle maen nhw'n cyddwyso.

Mae Olew Crai yn chwarae rhan bwysig iawn mewn bywyd modern

1) Mae olew yn creu diwydiant enfawr, gyda gwyddonwyr yn gweithio i ddod o hyd i bob cronfa olew, i dynnu'r olew o'r ddaear, ac i'w droi'n gynhyrchion defnyddiol.
2) Mae'n darparu tanwydd ar gyfer y rhan fwyaf o ddulliau cludiant modern.
3) Mae'n darparu'r deunydd crai ar gyfer gwneud cemegion o bob math, gan gynnwys PLASTIGION. Mae plastigion yn wych, wrth gwrs. Sut le fyddai'r byd heb blastig? Byddai'n le rhyfedd iawn...
4) Gall olew fod yn ddrwg iawn i'r amgylchedd. Sliciau olew ar y môr, hen olew wedi'i dywallt o beiriannau i'r cwterydd, plastigion sydd ddim yn pydru ar ôl eu taflu... Serch hynny, mae modd ailgylchu rhai pethau, sy'n rhywfaint o help.

Wrth lwc, mae hon yn dudalen hawdd i chi, ond cofiwch ...

Y math o gwestiwn sy'n debyg o fod ar y papur arholiad yw un sy'n dangos colofn ffracsiynu ac yn gofyn o ba ran y byddech chi'n disgwyl i'r petrol neu'r diesel ddod allan; neu'n gofyn pa mor hir yw'r gadwyn garbon mewn diesel; neu'n gofyn i chi beth yw prif ddibenion olew crai. Felly gwnewch yn siŵr eich bod yn dysgu'r manylion I GYD. Pan fyddwch yn meddwl eich bod yn gwybod popeth, cuddiwch y dudalen ac ysgrifennwch y manylion i gyd gan gynnwys y diagram. Yna gwnewch hyn eto.

Defnyddio Hydrocarbonau

Moleciwlau Cadwyn Hir yw Hydrocarbonau

Mae gan y gwahanol hydrocarbonau wahanol nifer o atomau hydrogen a charbon.
Wrth i'r moleciwl hydrocarbon fynd YN FWY O FAINT:

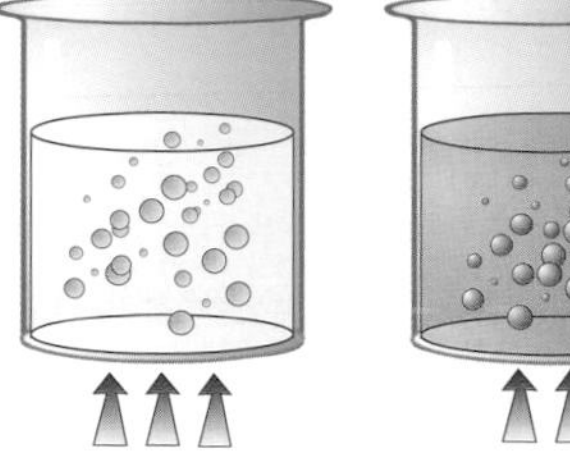

1) Mae'r BERWBWYNT yn codi

2) Mae'n mynd YN LLAI FFLAMADWY
(ddim mor hawdd ei roi ar dân)

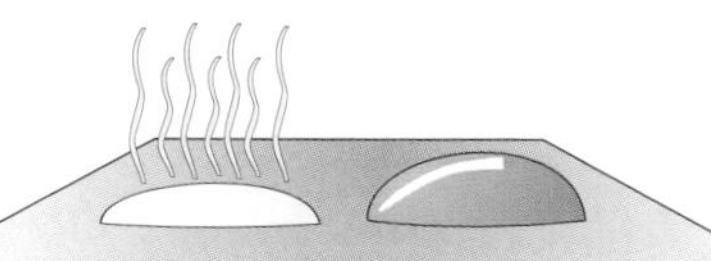

3) Mae'n mynd YN FWY GLUDIOG
(ddim yn llifo cystal)

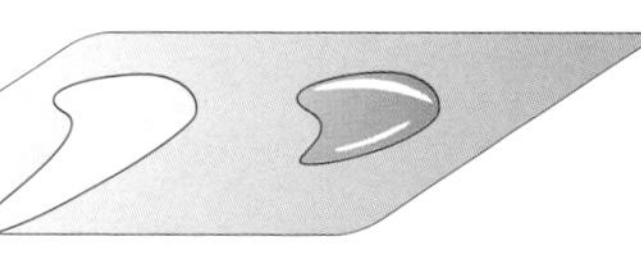

4) Mae'n mynd YN LLAI ANWEDDOL
(ddim yn anweddu mor rhwydd)

Mae anweddau yr hydrocarbonau mwy anweddol yn fflamadwy dros ben ac yn beryglus oherwydd eu bod yn gallu achosi tân. Felly peidiwch ag ysmygu mewn gorsaf betrol. (Gwell fyth, peidiwch ag ysmygu o gwbl, mae'n arfer afiach.)

Mae hylosgiad cyflawn Hydrocarbonau yn ddiogel

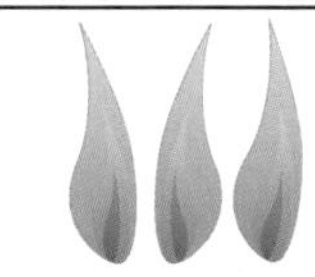

Pan fydd unrhyw hydrocarbon yn HYLOSGI'N GYFLAWN mewn ocsigen, dim ond carbon deuocsid a dŵr sy'n cael eu cynhyrchu, ac mae'r ddau yn lân a heb fod yn wenwynig.

hydrocarbon + ocsigen → carbon deuocsid + dŵr (+ egni)

Mae sawl gwresogydd nwy yn rhyddhau'r nwyon gwastraff hyn i'r ystafell – sy'n ddigon diogel. Pan fydd y gwresogydd nwy yn gweithio'n iawn ac awyru digonol yn yr ystafell, does dim problem. Pan fydd digon o ocsigen mae'r nwy'n llosgi â fflam las, lân.

Ond dydy hylosgiad Anghyflawn Hydrocarbonau DDIM yn ddiogel

Pan NA FYDD DIGON O OCSIGEN bydd yr hylosgiad yn ANGHYFLAWN. Y cynhyrchion gwastraff wedyn fydd carbon monocsid a charbon, a cheir fflam felen, fyglyd.

hydrocarbon + ocsigen → carbon deuocsid + dŵr
(ond dim digon o ocsigen) **+ carbon monocsid + carbon** (+ egni)

Mae carbon monocsid yn nwy di-liw, heb arogl; mae hefyd yn nwy gwenwynig ac yn beryglus iawn. Bob blwyddyn, bydd pobl yn cael eu lladd wrth gysgu oherwydd nam mewn tân neu foeler nwy. Heb iddyn nhw sylwi, mae carbon monocsid (CO) yn llenwi'r ystafell, ac mae hwn yn farwol.
Mae carbon du yn cael ei ryddhau, ac yn cynhyrchu marciau fel huddygl, sy'n arwydd nad ydy'r tanwydd yn llosgi'n gyflawn.

Rwyf ar dân eisiau gwybod... ydych chi wedi dysgu popeth?

Mae pedwar o nodweddion hydrocarbonau yn newid wrth i'r gadwyn fynd yn hwy. Beth yw'r rhain? Hefyd, beth yw manylion hylosgiad cyflawn ac anghyflawn? Mae'r rhain i gyd yn werth llawer o farciau mewn arholiad. Dysgwch nhw, a mwynhewch.

Cracio Hydrocarbonau

Cracio – torri hydrocarbonau cadwyn hir

1) Mae hydrocarbonau CADWYN HIR yn ffurfio hylifau trwchus gludiog fel tar. Dydyn nhw ddim yn ddefnyddiol iawn.
2) Mae cracio yn broses fydd yn eu troi yn foleciwlau BYRRACH sy'n llawer mwy defnyddiol.

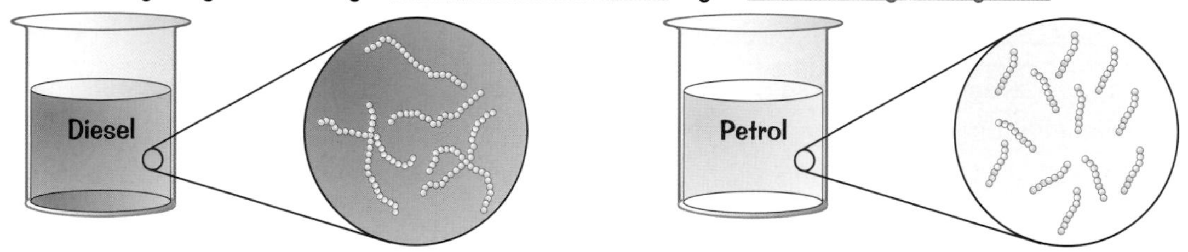

3) Math o ddadelfeniad thermol yw CRACIO sy'n golygu rhannu moleciwlau yn foleciwlau symlach drwy eu gwresogi.
4) Bydd llawer o'r moleciwlau hwy sy'n cael eu cynhyrchu drwy gyfrwng distyllu ffracsiynol yn cael eu cracio yn rhai llai oherwydd bod mwy o alw am gynhyrchion megis petrol a pharaffin/cerosin (tanwydd jet) nag sydd am ddiesel neu olew iro.
5) Yn bwysicach na hyn, mae cracio'n cynhyrchu pethau megis ethen sy'n angenrheidiol ar gyfer gwneud plastigion.

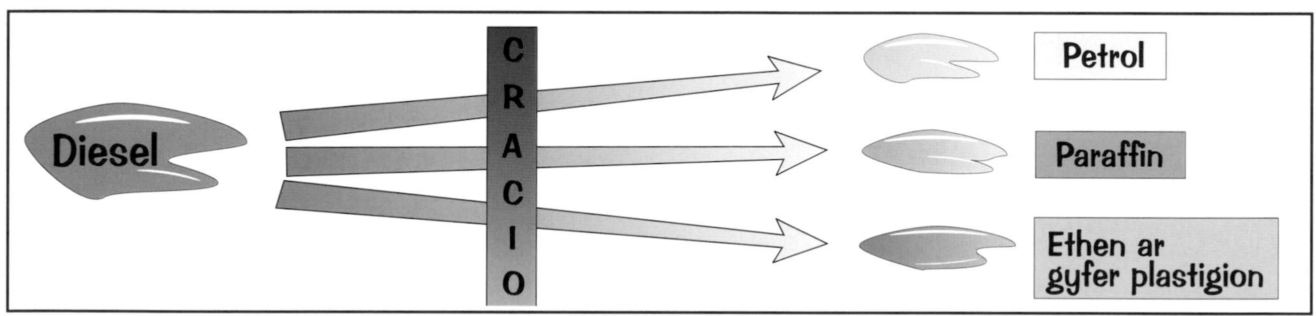

Amodau diwydiannol ar gyfer Cracio: poeth - a hefyd mae angen catalydd

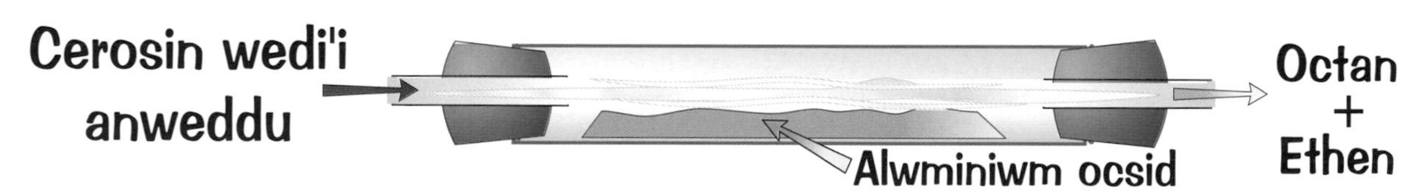

1) Bydd hydrocarbonau anweddol yn llifo dros gatalydd powdr ar dymheredd o tua 400–700°C
2) Alwminiwm ocsid yw'r catalydd sy'n cael ei ddefnyddio.
   Bydd y moleciwlau cadwyn hir yn cael eu torri ar wahân neu'n "cracio" ar wyneb y darnau catalydd.

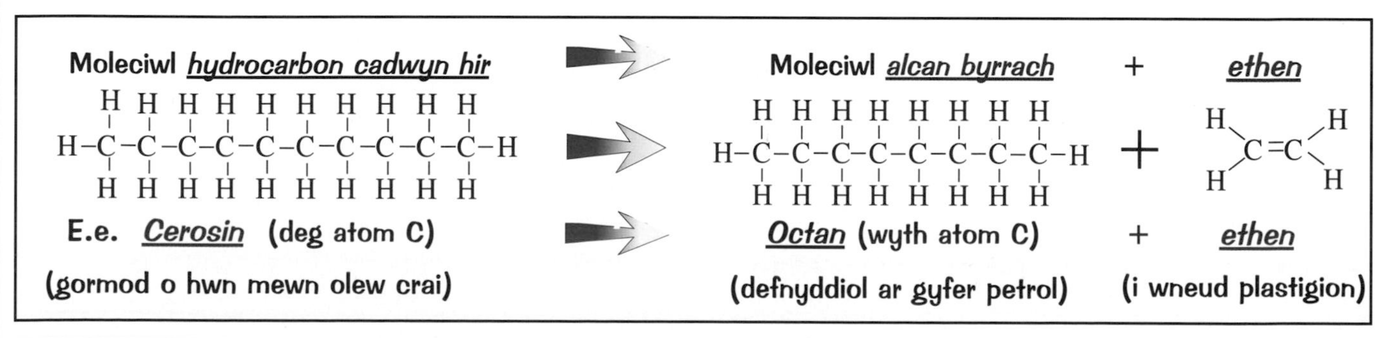

Cemeg – oes crac yn eich gwybodaeth am y pwnc hwn?!

Pump manylyn i'w dysgu ynghylch sut a pham mae pethau'n digwydd, dau fanylyn am yr amodau diwydiannol, ac un enghraifft benodol yn dangos cynhyrchion nodweddiadol: alcan cadwyn llai ac ethen. DYSGWCH Y CYFAN.

Alcanau ac Alcenau

Mae OLEW CRAI yn cynnwys dau fath gwahanol o hydrocarbonau o'r enw alcanau ac alcenau. Does dim rhaid i chi wybod llawer amdanyn nhw, dim ond bod gan alcenau fondiau dwbl C=C. Dylech wybod y pedwar alcan cyntaf ar y dudalen hon a hefyd ethen, yr alcen mwyaf hawdd.

Bondiau SENGL C–C sydd gan yr ALCANAU i gyd

1) Cadwynau o atomau carbon sy'n gwneud Alcanau, ac mae bondiau cofalent sengl rhwng yr atomau.
2) Y pedwar alcan cyntaf yw methan, ethan, propan a bwtan.
3) Mae methan yn cael ei alw yn nwy naturiol, sy'n dod drwy bibellau i adeiladau, ac wedyn allan o dapiau nwy.
4) Mae alcanau'n llosgi'n lân i gynhyrchu carbon deuocsid a dŵr.

1) Methan CH_4 | **2) Ethan C_2H_6**

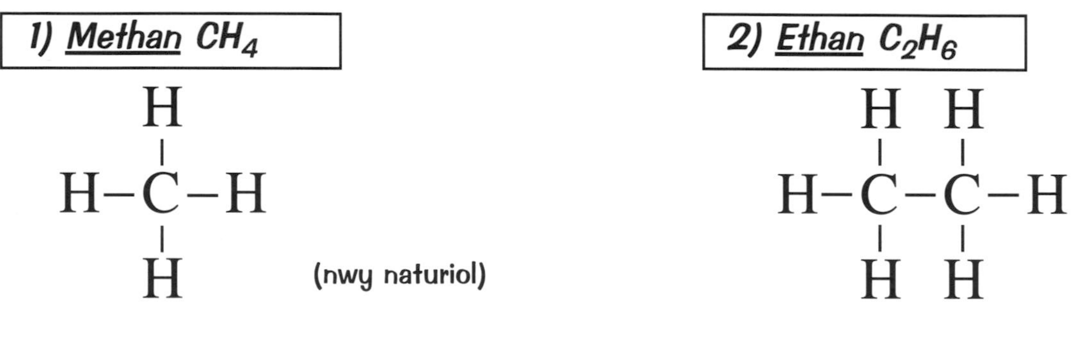

3) Propan C_3H_8 | **4) Bwtan C_4H_{10}**

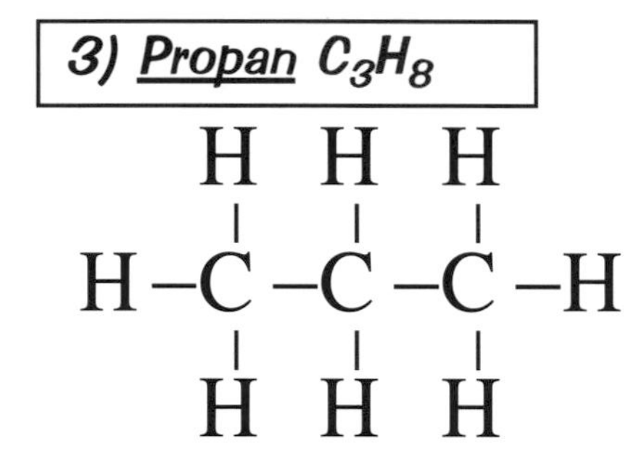

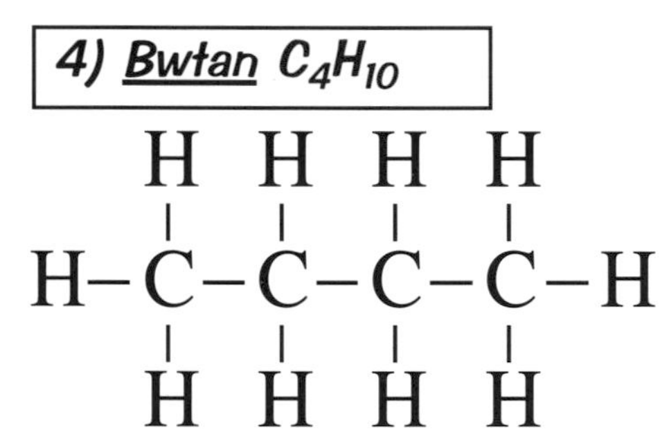

Ond am ETHEN – wel, mae bond DWBL C=C gan hwn

1) Mae angen i chi wybod dau o'r alcenau; enw'r naill yw ethen, a'r llall yw propen.
2) Cadwynau o atomau carbon sy'n gwneud Alcenau, ac mae un bond dwbl rhwng dau o'r atomau carbon.
3) Bydd alcenau'n ffurfio polymerau (gallwch ddarllen am rhain ar y dudalen nesaf) drwy agor eu bondiau dwbl a "dal dwylo" mewn cadwyn hir. Dydy alcanau ddim yn gallu ffurfio polymerau oherwydd nad oes ganddyn nhw fondiau dwbl i'w hagor.

Ethen C_2H_4

```
H         H
 \       /
  C = C
 /       \
H         H
```

Propen C_3H_6

```
   H   H
   |   |        H
H– C – C = C  /
   |          \
   H            H
```

Dyma i chi alcen arall a gallwch weld y bond dwbl hollbwysig.

```
   H   H       H
   |   |       |
H– C – C = C – C –H
   |       |   |
   H       H   H
```

AlcAnau gydag 'A...A', AlcEnau gydag 'A...E' – dyna'r ffordd i'w dysgu...

Pedwar diagram adeileddol ar gyfer yr alcanau, a dau ar gyfer ethen ac yna propen, a saith pwynt wedi'u rhifo – a dyna'i gyd. Dysgwch y dudalen gyfan nes byddwch chi'n gallu ei hysgrifennu heb edrych. Am bum munud: Dysgwch, cuddiwch, ysgrifennwch, gwiriwch, ailddysgwch, cuddiwch, ysgrifennwch, gwiriwch ... ac yn y blaen...

Polymerau a Phlastigion

Cafodd polymerau a phlastigion eu darganfod tua 1933. Erbyn 1970 roedd y dyddiau da o wneud ceir go iawn, â seddau lledr a phaneli pren hardd, wedi dod i ben. Piti mawr.

Mae bondiau dwbl Ethen yn agor i ffurfio Polymerau

1) Wrth roi ychydig o wasgedd ar y moleciwlau ethen, a chydag ychydig o help gan gatalydd, bydd y moleciwlau'n agor eu bondiau dwbl ac yn "dal dwylo" ("polymeriad") i ffurfio cadwynau hir iawn.
2) Enw'r moleciwlau cadwyn hir yma yw polymerau.
3) Bydd alcenau eraill yn gwneud hyn hefyd, ond yr enghraifft symlaf yw ethen yn newid i roi polyethen. Yr enw cyffredin arno yw "polythen". Gwnewch yn siŵr eich bod yn gwybod popeth am y newid hwn:

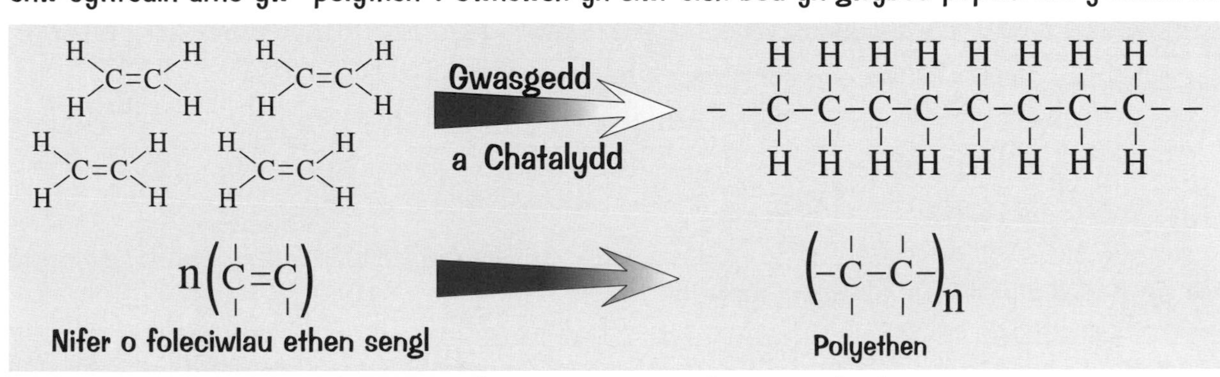

Bydd y moleciwlau polythen yn llawer iawn hwy na'r un yn y diagram uchod.
Fel rheol, mae cannoedd o atomau ar eu hyd.

Mae llwythi o Blastigion Gwahanol... ...a llwythi o ffyrdd i'w defnyddio

Mae angen i chi wybod enwau y tri math hwn o blastig; rhaid i chi wybod hefyd eu dibenion penodol.

1) Polythen

1) Rhad iawn; cryf
2) Mowldio'n rhwydd

Bagiau plastig

Poteli

Bwcedi

Powlenni

2) Polypropen

1) Ffurfio ffibrau cryf
2) Elastigedd uchel ganddo

Cratiau

Rhaffau

Carpedi

3) PVC (polyfinyl clorid, polycloroethen)

1) Ffurfio llenni gwrth-ddŵr cryf
2) Caled ond hyblyg.

Llenni plastig

Ynysu gwifrau trydan

Recordiau

Dydy'r rhan fwyaf o blastigion ddim yn pydru, felly mae'n anodd cael gwared arnyn nhw.

1) Dydy'r rhan fwyaf o blastigion ddim yn bethau 'bioddiraddadwy' – dydyn nhw ddim yn cael eu dadelfennu gan ficro-organebau, felly dydyn nhw ddim yn pydru.
2) Mae'n anodd cael gwared arnyn nhw – os claddwch nhw ar domen sbwriel, byddan nhw'n dal yno ymhen blynyddoedd. Y peth gorau i'w wneud os gallwch chi yw eu hailgylchu.

Adolygu – dim ond un gadwyn hir o ffeithiau...

Dysgwch beth yw polymeriad a cheisiwch ymarfer y diagram ar gyfer gwneud polyethen. Dysgwch yr holl enghreifftiau ar gyfer pob gwahanol fath o blastig hefyd. Yna cuddiwch y dudalen ac ysgrifennwch y cyfan.

Mwynau Metel o'r Ddaear

Creigiau, Mwynau a Mwynau Metel

1) Cymysgedd o fwynau yw craig.
2) Mwyn yw unrhyw elfen neu gyfansoddyn solet sydd i'w cael yn naturiol yng nghramen y Ddaear. Enghreifftiau: diemwnt (carbon), cwarts (silicon deuocsid), bocsit (Al_2O_3)
3) Mae mwyn metel yn cael ei ddiffinio fel mwyn neu fwynau sydd â digon o fetel i'w gwneud yn werth echdynnu'r metel ohono.
4) Mae swm cyfyngedig o fwynau a mwynau metel yn y ddaear – maen nhw'n "adnoddau meidraidd".

Carbon neu Electrolysis sy'n cael eu defnyddio i echdynnu Metelau o fwynau

1) Mae echdynnu metel o'r mwyn yn golygu adwaith cemegol i wahanu'r metel.
2) Yn aml iawn, bydd y metel ar gael ar ffurf ocsid. Mae tri mwyn i chi eu dysgu:

   a) Haematit yw mwyn haearn, sef haearn(III) ocsid, fformiwla Fe_2O_3.
   b) Bocsit yw mwyn alwminiwm, sef alwminiwm ocsid, fformiwla Al_2O_3.
   c) Malachit yw mwyn copr, sef copr(II) carbonad, fformiwla $CuCO_3$.

3) Mae DAU ddull cyffredin o echdynnu metel o'r mwyn:
   a) Rhydwythiad cemegol yn defnyddio carbon neu garbon monocsid. b) Electrolysis.
4) Aur yw un o'r nifer fach o fetelau sydd ar ffurf metel yn y ddaear, nid ar ffurf cyfansoddyn cemegol (mwyn).

Mae'n fwy Anodd echdynnu Metelau Mwy Adweithiol

1) Roedd mwy o amser wedi mynd heibio cyn i'r metelau mwy adweithiol gael eu darganfod (e.e. alwminiwm, sodiwm).
2) Roedd hefyd yn fwy anodd echdynnu metelau mwy adweithiol o'u mwynau.
3) Mae'n amlwg bod cysylltiad rhwng y ddwy ffaith uchod. Nac ydy?

Hyd yn oed amser maith yn ôl, roedd pobl yn gallu dod o hyd i aur yn hawdd drwy chwilota mewn afonydd. Wedyn, roedden nhw'n ei ymdoddi'n ingotau, neu dlysau, neu gerfluniau o'u hoff grŵp pop. Ond mae'n anodd credu y byddai pobl felly, dim ond o chwarae o gwmpas mewn afon, wedi meddwl am adeiladu gwaith electrolysis cwbl weithredol, ynghyd â phlanhigion plastig yn y cyntedd, er mwyn echdynnu metel sodiwm o halen craig... go brin!

Safle Carbon yn y Gyfres Adweithedd sy'n penderfynu hyn oll...

1) Rhaid defnyddio electrolysis i echdynnu metelau sy'n uwch na charbon yn y gyfres adweithedd.
2) Mae modd echdynnu metelau islaw carbon yn y gyfres adweithedd drwy rydwytho gyda charbon.
3) Y rheswm amlwg am hyn yw bod carbon ond yn gallu cymryd ocsigen oddi wrth fetelau os ydyn nhw'n llai adweithiol nag yw carbon ei hun.

Echdynnu drwy *Electrolysis* (Potasiwm – Alwminiwm)

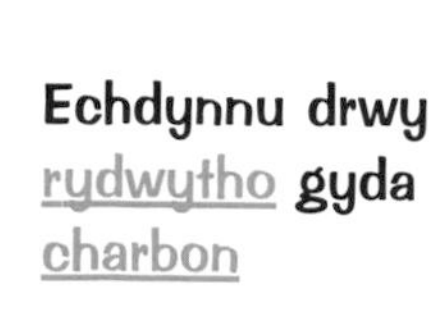
Echdynnu drwy rydwytho gyda charbon (Sinc – Plwm)

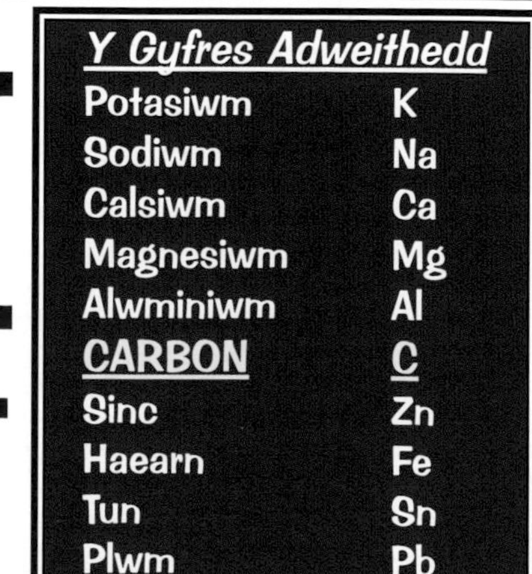

Y Gyfres Adweithedd	
Potasiwm	K
Sodiwm	Na
Calsiwm	Ca
Magnesiwm	Mg
Alwminiwm	Al
CARBON	C
Sinc	Zn
Haearn	Fe
Tun	Sn
Plwm	Pb

Rhaid cloddio a chloddio mwy i gael at y mwyn ...

Mae pedair adran i'r dudalen hon gyda thri neu bedwar pwynt pwysig ym mhob adran.
Mae'n bwysig eich bod chi'n dysgu'r cyfan (wel, heblaw am yr hoff grŵp pop).
Rhaid i chi ymarfer ailadrodd y manylion oddi ar eich cof. Dyna'r unig ddull effeithiol.

Echdynnu Haearn – Y Ffwrnais Chwyth

Mae haearn yn elfen gyffredin iawn yng nghramen y Ddaear, ond dydy mwynau haearn da ddim ond i'w cael mewn nifer fach o leoedd ar hyd a lled y byd, megis Awstralia, Canada a Millom. Caiff haearn ei echdynnu o haematit, Fe_2O_3, drwy rydwythiad (h.y. tynnu'r ocsigen) mewn ffwrnais chwyth. Mae gwir angen i chi wybod popeth am yr hyn sy'n digwydd mewn ffwrnais chwyth – gan gynnwys yr hafaliadau.

Mwyn Haearn, Golosg a Chalchfaen yw'r Defnyddiau Crai

1) Y mwyn haearn sy'n cynnwys yr haearn – pwynt pwysig iawn.
2) Carbon pur yw golosg, fwy neu lai. Mae'r golosg yn rhydwytho'r haearn ocsid yn haearn.
3) Mae'r calchfaen yn cael gwared â'r amhureddau ar ffurf slag.

Rhydwytho'r Mwyn Haearn yn Haearn

1) Caiff aer poeth ei chwythu i mewn i'r ffwrnais gan beri i'r golosg losgi'n llawer cynt nag arfer, ac mae'r tymheredd yn codi i tua 1500°C.

2) Mae'r golosg yn llosgi i ffurfio carbon deuocsid:

$$C + O_2 \rightarrow CO_2$$
carbon + ocsigen → carbon deuocsid

3) Yna mae'r CO_2 yn adweithio gyda'r golosg sydd heb losgi i ffurfio CO:

$$CO_2 + C \rightarrow 2CO$$
carbon deuocsid + carbon → carbon monocsid

4) Yna mae'r carbon monocsid yn rhydwytho'r mwyn haearn yn haearn:

$$3CO + Fe_2O_3 \rightarrow 3CO_2 + 2Fe$$
carbon monocsid + haearn(III) ocsid → carbon deuocsid + haearn

5) Ar y tymheredd hwn mae'r haearn wedi ymdoddi, wrth gwrs, ac yn ddwys iawn hefyd, felly mae'n llifo'n syth i waelod y ffwrnais ac yno mae'n cael ei dapio i ffwrdd.

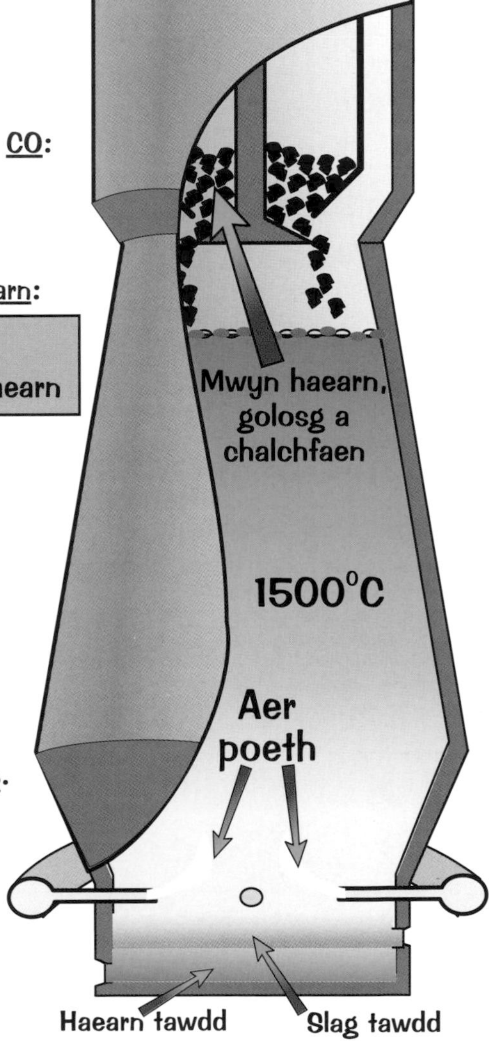

Cael gwared â'r Amhureddau

1) Y prif amhuredd yw tywod (silicon deuocsid). Hyd yn oed ar dymheredd o 1500°C bydd tywod yn para'n solid, ac yn tueddu i aros yn gymysg â'r haearn. Mae'r calchfaen yn cael ei wared.

2) Mae'r gwres yn dadelfennu'r calchfaen i roi calsiwm ocsid ac CO_2.

$$CaCO_3 \rightarrow CaO + CO_2$$

3) Yna, mae'r calsiwm ocsid yn adweithio gyda'r tywod i ffurfio calsiwm silicad neu slag, sydd ar ffurf dawdd felly mae modd ei dapio i ffwrdd:

$$CaO + SiO_2 \rightarrow CaSiO_3$$ (slag tawdd)

4) Mae'r slag oer yn solid ac yn cael ei ddefnyddio ar gyfer:
   1) Adeiladu ffyrdd
   2) Gwrteithiau

Dysgwch y Ffeithiau am Echdynnu Haearn – mae'n fwy nag aer poeth...

Tair prif adran a nifer o bwyntiau ym mhob un. Mae pob tamaid yn bwysig, a gallai ymddangos yn yr Arholiad, gan gynnwys yr hafaliadau. Gallai ysgrifennu traethawd byr ar bob adran eich helpu, neu guddio pob adran yn ei dro a rhoi cynnig ar ailadrodd y ffeithiau i chi eich hun. A daliwch ati.

Puro Copr drwy Electrolysis

1) Metel adweithiol iawn yw alwminiwm ac mae'n rhaid ei echdynnau o'i fwyn metel drwy electrolysis (gweler tudalen 21).
2) Metel anadweithiol iawn yw copr. Yn y gyfres adweithedd, mae'n is na charbon, a hefyd yn is na hydrogen, felly dydy copr ddim yn adweithio gyda dŵr hyd yn oed.
3) Felly, gellir echdynnu copr yn rhwydd iawn o'i fwyn metel drwy rydwytho gyda charbon.

Mae angen copr pur dros ben ar gyfer dargludyddion trydan

1) Nid yw'r copr sy'n cael ei gynhyrchu drwy rydwythiad yn ddigon pur i'w ddefnyddio mewn dargludyddion trydan.
2) Po fwyaf pur yw'r copr, gorau oll y bydd yn dargludo. Electrolysis sy'n cael ei ddefnyddio i gael copr pur iawn.

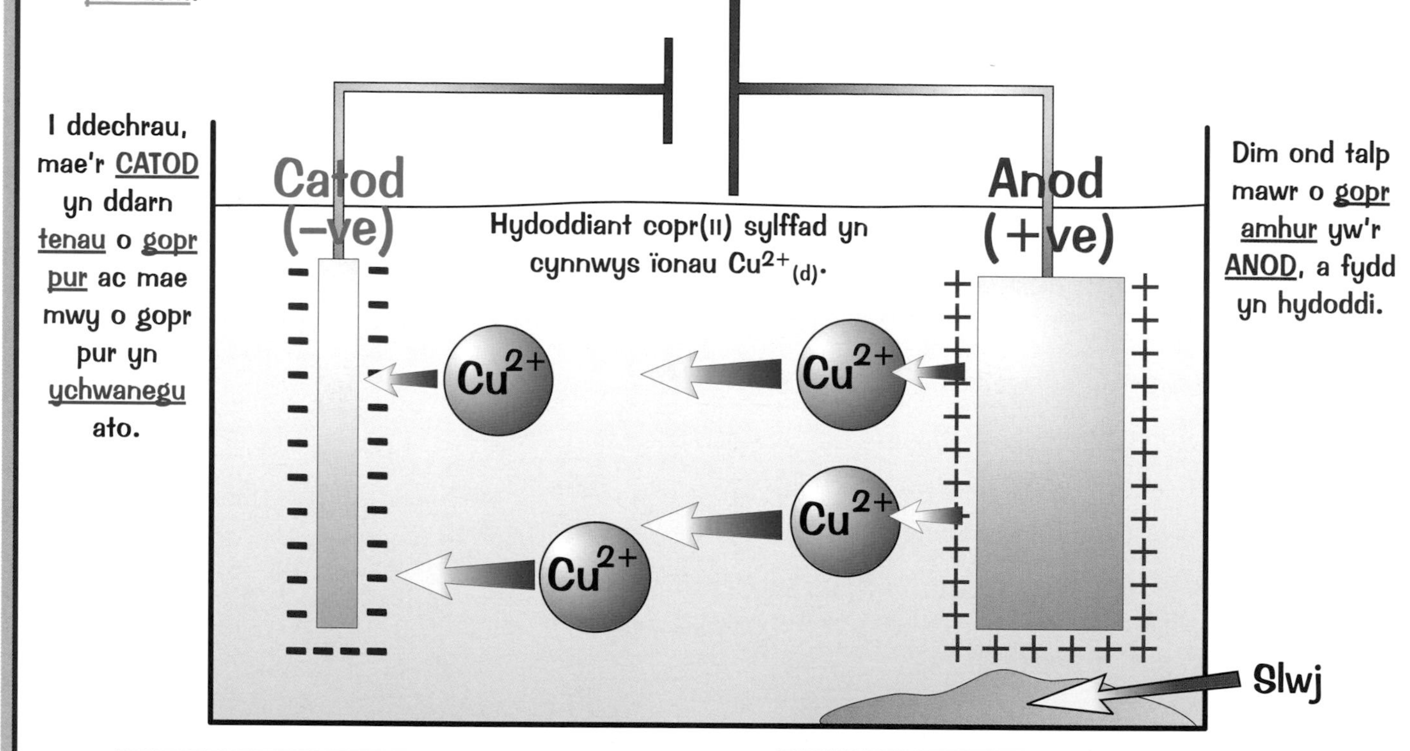

Bydd copr pur yn cael ei ddyddodi ar y catod pur (–if)

Bydd copr yn hydoddi o'r anod amhur (+if)

Dyma'r adwaith ar y ***CATOD***:

$$Cu^{2+}_{(aq)} + 2e^- \rightarrow Cu_{(s)}$$

Dyma'r adwaith ar yr ***ANOD***:

$$Cu_{(s)} \rightarrow Cu^{2+}_{(aq)} + 2e^-$$

Mae'r CYFLENWAD TRYDAN yn gweithredu trwy:

1) Dynnu electronau oddi ar atomau copr ar yr anod gan achosi iddynt fynd i hydoddiant ar ffurf ïonau Cu^{2+}.
2) Yna, cynnig electronau ar y catod i'r ïonau Cu^{2+} cyfagos er mwyn eu troi'n ôl yn atomau copr.
3) Caiff yr amhureddau eu gollwng fel slwj ar yr anod, tra bo'r atomau copr pur yn bondio wrth y catod.
4) Gall yr electrolysis barhau am wythnosau ac, yn aml, mae'r catod ugain gwaith yn fwy ar ddiwedd y broses.

Adolygu ac Electrolysis – gall y ddau barhau am wythnosau...

Dyma dudalen weddol hawdd ei dysgu. Beth gwell nag ysgrifennu traethawd byr? Peidiwch ag anghofio'r diagram a'r hafaliadau. Wnewch chi ddim chwerthin rhyw lawer heddiw, ond meddyliwch mor ddefnyddiol fydd yr holl gemeg yma yn eich bywyd bob dydd ar ôl i chi ddysgu'r cyfan... hmmm, wel... dysgwch – er mwyn dysgu!

Echdynnu Alwminiwm – Electrolysis

Mae llawer iawn o fanylion technegol yma sy'n aml yn dod i fyny yn yr arholiad.
Mae hynny'n golygu bod yn rhaid i chi eu dysgu, mae arna'i ofn...

Mae angen y Cyflwr Tawdd ar gyfer Electrolysis

1) Mae alwminiwm yn fwy adweithiol na charbon, felly rhaid ei echdynnu o'i fwyn drwy electrolysis.
2) Y mwyn sylfaenol yw bocsit; ar ôl ei gloddio a'i buro, mae powdwr gwyn ar ôl.
3) Dyma alwminiwm ocsid pur, Al_2O_3, ac mae ganddo ymdoddbwynt uchel dros ben, dros 2000°C.
4) Er mwyn i electrolysis weithio, mae'n rhaid i'r mwyn fod ar ffurf dawdd, a byddai gwresogi hyd at 2000°C yn ddrud iawn.

Defnyddir Cryolit i ostwng y tymheredd (a'r gost)

1) Rhaid gwresogi i 2000°C er mwyn ymdoddi bocsit pur. Mae hyn yn ddrud. Felly, yn lle hynny, caiff yr alwminiwm ocsid ei hydoddi mewn cryolit tawdd (mwyn alwminiwm llai cyffredin).
2) Mae hyn yn dod â'r tymheredd i lawr i oddeutu 900°C, sy'n gwneud y cyfan yn llawer rhatach a haws.
3) Mae'r electrodau wedi'u gwneud o graffit (carbon).
4) Rhaid newid yr anod graffit (+if) yn eithaf aml gan ei fod yn adweithio gydag ocsigen i ffurfio CO_2.

Y Gell sy'n cael ei defnyddio ar gyfer Electrolysis Alwminiwm Ocsid

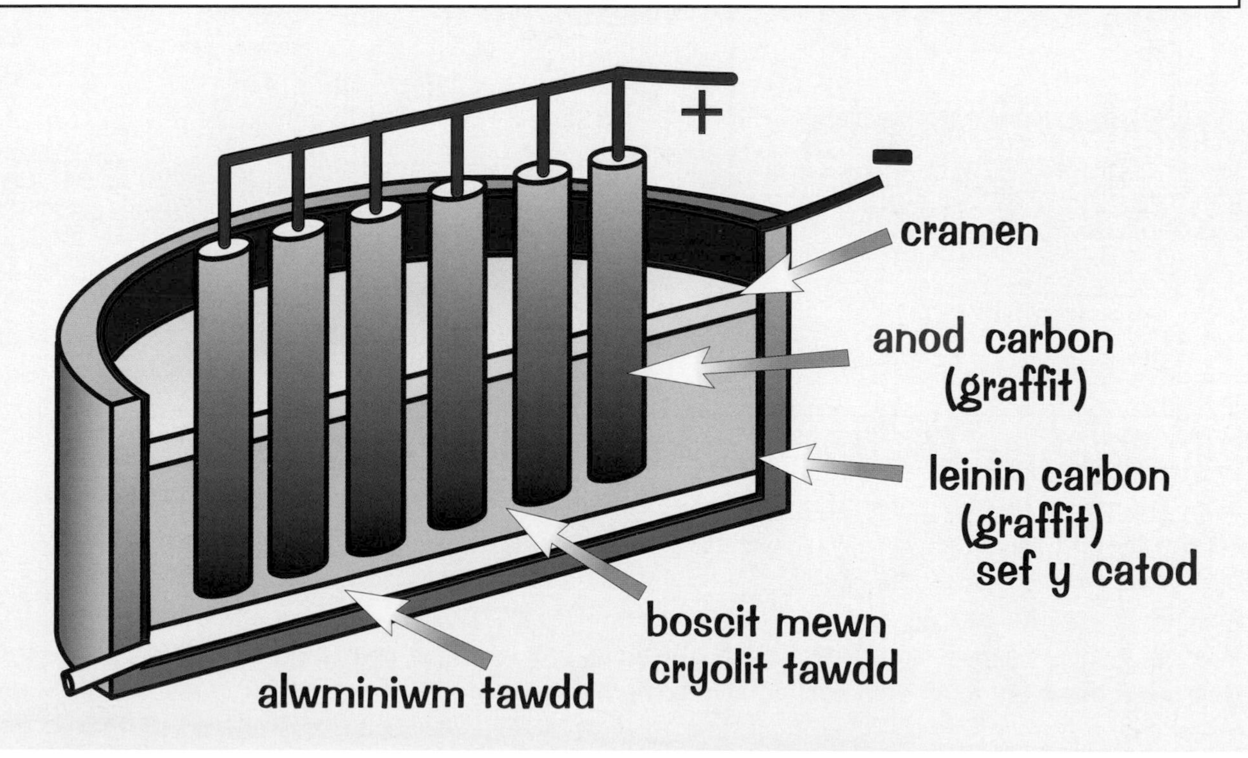

"Cryolit Tawdd" – enw da ar gyfer grŵp pop...

Dysgwch yr wyth pwynt a'r diagram. I ddechrau, efallai y gallech guddio pob adran fesul un a cheisio cofio'r manylion yn eich pen. Ond yn y pen draw dylech anelu at ailadrodd y cyfan ar ôl cuddio'r dudalen.

Echdynnu Alwminiwm — Electrolysis

Mae'n rhaid i chi wybod sut yn union mae electrolysis yn gweithio. Edrychwch yn ofalus ar y diagram hwn i gael amcan o'r manylion.

Electrolysis – troi ÏONAU yn ATOMAU o'ch dewis

Dyma'r prif amcan:

1) Sicrhau bod yr alwminiwm ocsid wedi ymdoddi er mwyn rhyddhau'r ïonau alwminiwm, Al^{3+}, fel eu bod yn rhydd i symud.
2) Gosod electrodau i mewn – fel bo'r ïonau Al^{3+} positif yn mynd yn syth at yr electrod negatif.
3) Ar yr electrod negatif, does dim modd i'r ïonau Al^{3+} positif beidio â chodi rhai o'r electronau sbâr wedyn "wap", maen nhw'n troi'n atomau alwminiwm ac yn suddo i'r gwaelod. Clyfar iawn!!

Electrolysis Alwminiwm Ocsid: Y Manylion

Mae angen i chi wybod yr adweithiau ar y ddau electrod:

Ar y Catod (–if):

$$Al^{3+} + 3e^{-} \rightarrow Al$$

Ar yr Anod (+if):

$$2O^{2-} \rightarrow O_2 + 4e^{-}$$

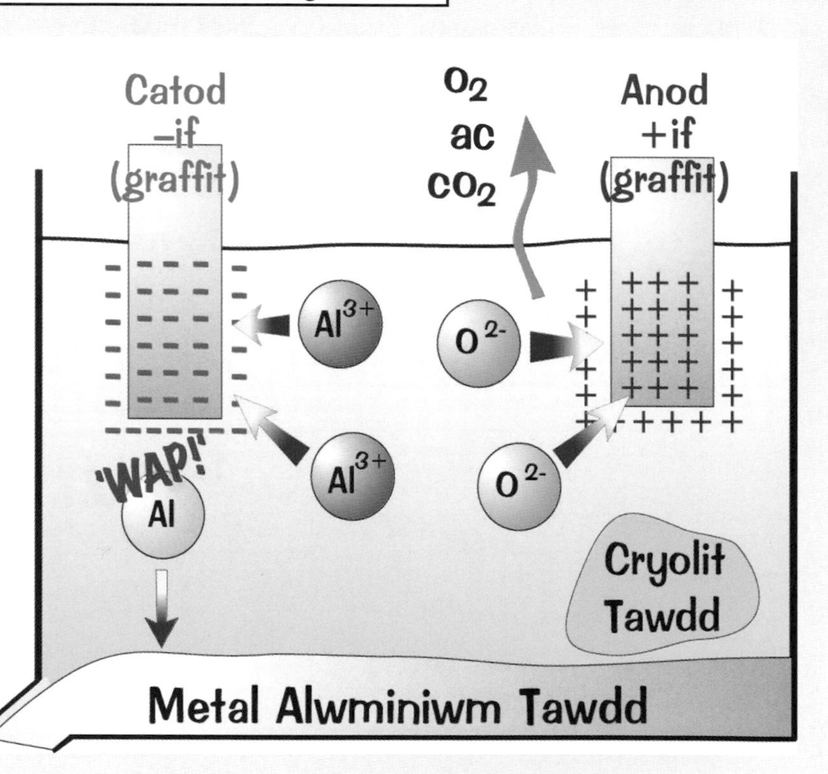

Peth Drud yw Electrolysis – yr holl drydan yna...

1) Mae electrolysis yn defnyddio llawer o drydan, felly mae'n ddrud iawn.
2) Fel rheol, bydd gan smeltwyr alwminiwm eu gorsaf bŵer trydan dŵr eu hun ger llaw, er mwyn cynhyrchu trydan mor rhad â phosib.
3) Mae angen egni hefyd i wresogi'r cymysgedd electrolyt i 900°C. Mae hyn yn ddrud hefyd.
4) Mae'r anodau'n diflannu felly rhaid ailosod y rhain yn aml – a dyna gost arall.
5) Ond metel cymharol rhad, sy'n cael ei ddefnyddio mewn llawer o wahanol ffyrdd, yw alwminiwm yn y pen draw.
   Ganrif yn ôl 'roedd yn fetel prin iawn, dim ond o achos ei fod mor anodd ei echdynnu.

Gêm ddrud yw electrolysis, ond mae bob amser yn wefreiddiol...

Dysgwch y diagram sy'n dangos sut mae electrolysis yn llwyddo i echdynnu metel alwminiwm o'r cymysgedd tawdd. Hefyd, dysgwch y tri phwynt sy'n esbonio electrolysis, a'r pum pwynt sy'n dweud pam mae mor ddrud. Yna cuddiwch y dudalen ac ysgrifennwch y cwbl i lawr.

Defnyddio'r Tri Metel Cyffredin

Mae metelau'n llawer mwy diddorol nag y mae'r rhan fwyaf o bobol yn sylweddoli.

Mae haearn yn cael ei ddefnyddio i wneud dur – sy'n rhad ac yn gryf

HAEARN A DUR: **MANTEISION:** Rhad a chryf.
ANFANTEISION: Trwm, ac yn rhydu.

Mae haearn a dur yn cael eu defnyddio ar gyfer:

1) Adeiladu pethau fel pontydd ac adeiladau.
2) Gwneud ceir a loriau a threnau a llongau a **DIM AWYRENNAU** a beiciau a thanciau a phianos...
3) Dydy dur gwrthstaen ddim yn rhydu, a chaiff ei ddefnyddio i wneud sosbenni ac offer ar gychod.

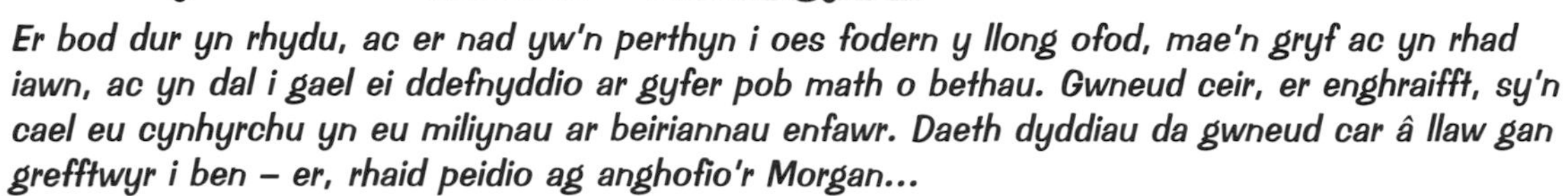

Er bod dur yn rhydu, ac er nad yw'n perthyn i oes fodern y llong ofod, mae'n gryf ac yn rhad iawn, ac yn dal i gael ei ddefnyddio ar gyfer pob math o bethau. Gwneud ceir, er enghraifft, sy'n cael eu cynhyrchu yn eu miliynau ar beiriannau enfawr. Daeth dyddiau da gwneud car â llaw gan grefftwyr i ben – er, rhaid peidio ag anghofio'r Morgan...

Mae alwminiwm yn ysgafn, yn gryf, ac yn gwrthsefyll cyrydiad

Mewn gwirionedd, "dwysedd isel" sy'n iawn, nid "ysgafn". Ond y ffaith bwysig yw hyn – mae'n llawer haws codi a symud alwminiwm na haearn a dur.

PRIODWEDDAU DEFNYDDIOL:

1) Ysgafn. (Wel, "dwysedd isel" – i'ch cadw'n hapus!)
2) Mae modd plygu a newid ffurf alwminiwm (i wneud paneli ceir, a phethau felly).
3) Cryf ac anhyblyg iawn yn ôl y gofyn.
4) NID YW'N CYRYDU oherwydd yr haen ocsid sy'n ei orchuddio'n gyflym bob amser, ac mae hyn yn ei amddiffyn.
5) Mae'n dargludo gwres a thrydan yn dda.

ANFANTEISION: Ddim mor gryf â dur ac ychydig yn fwy drud.

DIBENION CYFFREDIN

1) Ysgolion (i'w dringo, nid i sefyll arholiadau!)
2) Awyrennau.
3) Paneli corff moduron Range Rover (ond nid drws rhydlyd y bŵt!!)
4) Caniau diod – yn well na rhai dur wedi'u platio â thun, sy'n rhydu weithiau.
5) Tai gwydr a fframiau ffenestri.
6) Ceblau pŵer mawr ar beilonau.

Copr: dargludydd da, rhwydd ei blygu, ddim yn cyrydu

Cyfuniad da o briodweddau sy'n gwneud copr yn rhagorol ar gyfer:

1) Pibellau dŵr a nwy, oherwydd ei fod yn plygu â llaw heb dorri, i'r siâp cywir.
2) Gwifro trydan, oherwydd ei fod yn plygu'n rhwydd o amgylch corneli ac yn dargludo'n dda iawn.
3) Mae'n ffurfio aloïau gwrth-gyrydol defnyddiol iawn, megis pres (i wneud trwmpedi) ac efydd (i wneud cerfluniau).

ANFANTEISION: Dydy copr ddim yn gryf iawn ac mae'n eithaf drud.

Mae priodweddau metelau yn ddigon i godi'ch calon – dysgwch a mwynhewch...

Wel, dyma dda! Ychydig o gemeg fydd o ddefnydd yn eich bywyd bob dydd! Bydd yn help i chi wybod y gwahaniaeth rhwng y gwahanol fetelau – er mai dim ond os oes gennych gynllun i adeiladu trên neu roced y bydd o bwys mawr.
Os na, dysgwch y cyfan ar gyfer yr Arholiad – mae hynny'n bwysig hefyd.

Pedair Ffordd o Ddefnyddio Calchfaen

Craig waddod yw calchfaen, sydd wedi'i ffurfio o gregyn môr yn fwy na dim. Calsiwm carbonad ydyw yn bennaf.

1) Calchfaen yn ddefnydd adeiladu

1) Mae'n gwneud blociau adeiladu rhagorol. Yn aml, blociau calchfaen yw'r unig ddefnydd adeiladu mewn hen adeiladau megis eglwysi cadeiriol. Ond gall glaw asid fod yn broblem.
2) Mae'n cael ei ddefnyddio i wneud cerfluniau a hefyd darnau wedi'u cerfio'n brydferth ar adeiladau hardd. Ond mae glaw asid yn fwy o broblem fyth.
3) Gellir ei falu yn gerrig mân, a'i ddefnyddio ar wynebau ffyrdd.

2) Calchfaen i Niwtralu yr Asidau mewn pridd a llynnoedd

1) Gellir defnyddio calchfaen cyffredin, wedi ei falu yn bowdr, i niwtralu asidedd mewn llynnoedd a achoswyd gan law asid. Hefyd, gall niwtralu pridd asidig mewn caeau.
2) Mae'n gweithio'n well ac yn gyflymach os caiff ei newid yn galch tawdd yn gyntaf:

Newid Calchfaen yn Galch Tawdd: gwresogi'n gyntaf, yna ychwanegu dŵr

1) Calsiwm carbonad yw calchfaen yn bennaf. Felly, mae gwresogi calchfaen yn rhoi calsiwm ocsid (CaO):

calchfaen $\xrightarrow{\text{GWRES}}$ calch brwd   neu $CaCO_3 \xrightarrow{\text{GWRES}} CaO + CO_2$

2) Mae calsiwm ocsid yn adweithio'n ffyrnig gyda dŵr, i roi calsiwm hydrocsid (neu galch tawdd):

calch brwd + dŵr ⟶ calch tawdd   neu $CaO + H_2O \longrightarrow Ca(OH)_2$

3) Powdr gwyn yw calch tawdd, a gellir ei roi ar y caeau yn union fel powdr calchfaen.
4) Mantais calch tawdd yw ei fod yn gweithio'n llawer mwy cyflym i leihau'r asidedd.

3) Calchfaen – gwresogi gyda Chlai i wneud Sment

1) Mae alwminiwm a silicadau mewn clai, sy'n cael ei gloddio o'r ddaear.
2) Pan fydd calchfaen powdr a chlai powdr yn cael eu rhostio mewn odyn sy'n cylchdroi, mae'n gwneud cymysgedd cymhleth o silicadau calsiwm ac alwminiwm, sef sment.
3) Pan gymysgir sment a dŵr, mae adwaith cemegol araf yn digwydd.
4) Yn raddol, oherwydd yr adwaith cemegol, mae'r sment yn setio'n galed.
5) Fel rheol, caiff tywod a cherrig mân eu cymysgu gyda sment i wneud concrit.
6) Mae concrit yn ffordd gyflym a rhad o godi adeiladau – ac mae hyn yn amlwg... onid concrit yw'r defnydd adeiladu hyllaf erioed?

4) Calchfaen – ymdoddi gyda Thywod a Soda i wneud Gwydr

1) Gwresogi'r calchfaen (calsiwm carbonad) gyda'r tywod (silicon deuocsid) a'r soda (sodiwm carbonad) nes iddo ymdoddi.
2) Wrth oeri, mae'r cymysgedd yn ffurfio gwydr. Ddim mor anodd â hynny Mr.Pilkington!

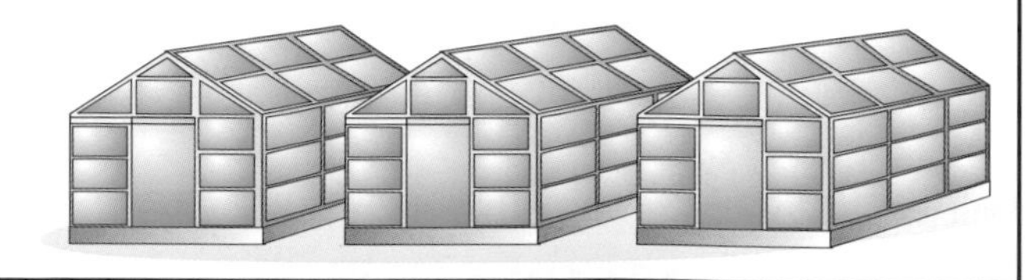

Nid yr adolygu'n unig sy'n galed...

Er bod calchfaen yn wych ar gyfer llawer o bethau, mae yna ochr arall – bydd agor chwarel galch yn dinistrio cefn gwlad, yn enwedig os bydd calchfaen yn cael ei gymryd oddi ar greigiau'r "calchbalmentydd" prin, gyda'u planhigion a'u bywyd gwyllt arbennig. Dysgwch y dudalen gyfan serch hynny, nes bydd y cyfan mor gadarn â'r graig...

Gwneud Amonia: Proses Haber

Mae Proses Haber yn broses ddiwydiannol bwysig. Mae'n cynhyrchu amonia (NH_3) sy'n angenrheidiol ar gyfer gwneud gwrteithiau.

Mae angen Nitrogen a Hydrogen i wneud Amonia

1) Mae nitrogen i'w gael yn rhwydd o'r AER, sy'n 78% nitrogen (a 21% ocsigen).
2) Mae hydrogen i'w gael O DDŴR (ager) a NWY NATURIOL (methan, CH_4).

Mae Proses Haber yn Adwaith Cildroadwy

$$N_{2\,(n)} + 3H_{2\,(n)} \xrightarrow[\text{adwaith cildroadwy}]{} 2NH_{3\,(g)}$$ (+ gwres)

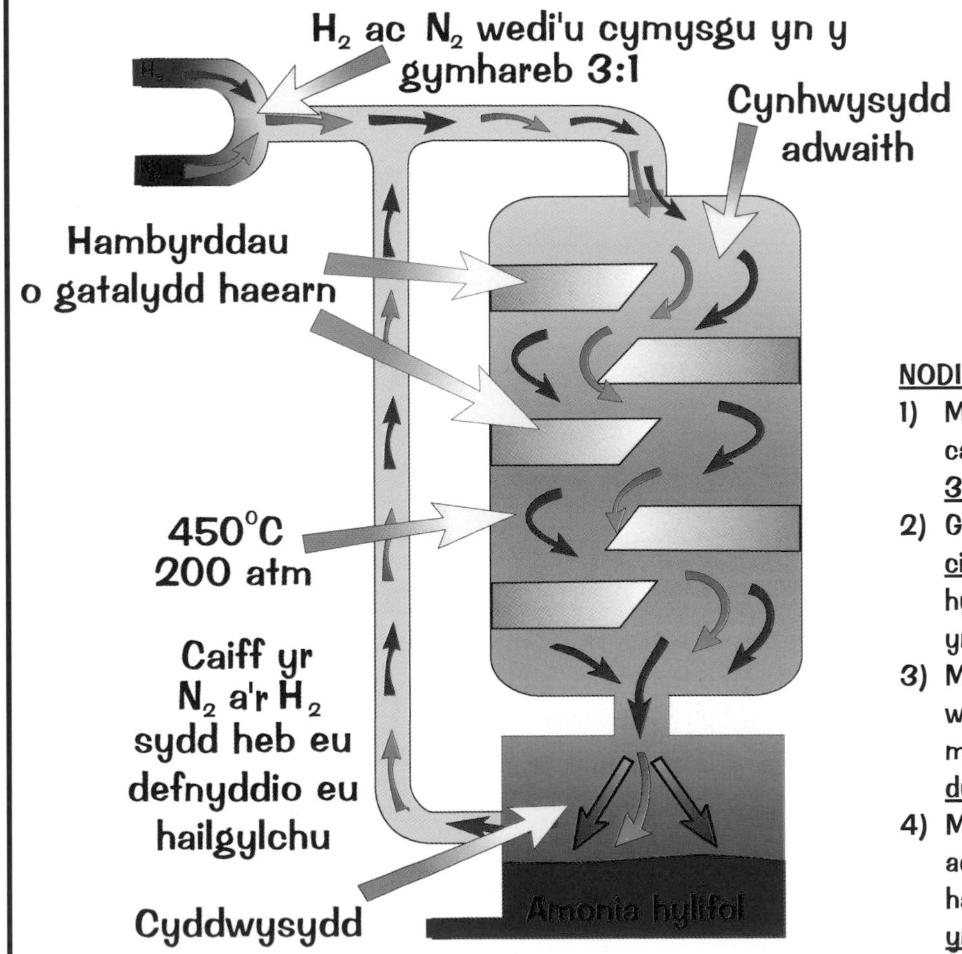

Amodau diwydiannol:

GWASGEDD: 200 atmosffer

TYMHEREDD: 450°C

CATALYDD: Haearn

NODIADAU YCHWANEGOL:
1) Mae'r hydrogen a'r nitrogen yn cael eu cymysgu yn y gymhareb 3:1.
2) Gan fod yr adwaith yn un cildroadwy ni fydd y nitrogen a'r hydrogen i gyd yn cael eu newid yn amonia.
3) Mae'r amonia'n ffurfio yn nwy ond wrth iddo oeri yn y cyddwysydd mae'n cyddwyso ac yn cael ei dynnu oddi yno.
4) Mae'r N_2 a'r H_2 sydd heb adweithio yn cael eu hailgylchu a'u hanfon trwyddo eto felly does dim yn cael ei wastraffu.

200 atmosffer? – gallai roi tipyn o gur pen i chi...

Maen nhw'n hoffi'r Broses Haber yn fawr iawn yn yr Arholiad. Felly, gwnewch eich gorau i ddysgu'r dudalen hon. Gallech gael cwestiwn ar unrhyw un o'r manylion. Yr un hen gân: Dysgwch, cuddiwch, ailadroddwch, gwiriwch ... ac eto...

Defnyddio Amonia i wneud Gwrtaith

Mae dau adwaith ar y dudalen hon a'r ddau'n defnyddio amonia. Mae'n rhaid i chi wybod y ddau ond dydw i ddim yn credu y byddai'r gwaith hwn ar restr "Fy Hoff Bynciau Cemeg".

1) Gellir Ocsidio Amonia i ffurfio Asid Nitrig

Mae dau gam i'r adwaith hwn:

a) Mae nwy amonia yn adweithio gydag ocsigen uwchben catalydd platinwm poeth:

$$4NH_3\,(n) + 5O_2\,(n) \rightarrow 4NO\,(n) + 6H_2O\,(n)$$

Mae'r cam cyntaf hwn yn ecsothermig iawn, ac yn cadw i fynd drwy gynhyrchu ei wres ei hun. Rhaid i'r nitrogen monocsid gael ei oeri cyn y cam nesaf, sy'n digwydd yn rhwydd:

b) Mae'r nitrogen monocsid yn adweithio gyda dŵr ac ocsigen...

$$6NO\,(n) + 3O_2\,(n) + 2H_2O\,(n) \rightarrow 4HNO_3\,(n) + 2NO\,(n)$$

... i ffurfio asid nitrig, HNO_3

Diddorol neu beth? Y peth pwysig i'w gofio yw bod yr asid nitrig hwn yn ddefnyddiol iawn mewn prosesau cemegol eraill; er enghraifft, cynhyrchu gwrtaith amoniwm nitrad...

2) Gellir Niwtralu Amonia gydag Asid Nitrig...

...i wneud gwrtaith Amoniwm Nitrad

Dim byd ffantastig yn digwydd yma: dim ond adwaith niwtralu syml rhwng alcali (amonia) ac asid. A'r canlyniad yw halwyn niwtral: (Deffrwch yn y cefn!)

$$NH_3\,(d) + HNO_3\,(d) \rightarrow NH_4NO_3\,(d)$$

Amonia + Asid nitrig → Amoniwm nitrad

Mae amoniwm nitrad yn wrtaith arbennig o dda. Mae nitrogen ynddo o ddwy ffynhonnell, sef yr amonia a'r asid nitrig, ac mae planhigion angen digonedd o nitrogen.

Gall Gormodedd o Wrtaith Nitrad achosi Problemau Iechyd ac Ewtroffigedd

1) Os bydd gwrteithiau nitrad yn llifo i nant neu afon, byddant yn achosi cylchred o ordyfu, gorfarw a gorbydru. Bydd planhigion ac algâu gwyrdd yn tyfu allan o reolaeth, wedyn yn dechrau marw am fod gormodedd ohonyn nhw. Wrth fwydo ar y planhigion marw, mae bacteria'n cynyddu ac yn defnyddio'r holl ocsigen sydd yn y dŵr. Does dim digon o ocsigen i'r pysgod, felly maen nhw i gyd yn marw hefyd. Dyna stori drist! Ewtroffigedd yw enw'r gylchred hon. (Edrychwch yn y Llyfr Bioleg am fwy o fanylion).

2) Os bydd gormod o nitradau mewn dŵr yfed, gall achosi problemau iechyd, yn enwedig i fabanod ifanc. Mae nitradau yn atal y gwaed rhag cludo ocsigen yn iawn ac, weithiau, bydd plant yn troi'n las a hyd yn oed yn marw.

3) Er mwyn osgoi'r problemau hyn, mae'n bwysig bod ffermwyr yn defnyddio gwrteithiau nitrad artiffisial yn ofalus iawn – a gofalu peidio â defnyddio gormod, yn enwedig pan fydd y tywydd yn addo glaw.

Dom neu dail, mae tomen ohono...

Dim ond dweud mae'r dudalen hon sut mae amonia'n cael ei newid i roi gwrtaith amoniwm nitrad. Ond mae hynny'n golygu tomen o fanylion diflas i chi eu dysgu. Peidiwch â holi pam. Mwyaf oll y dysgwch chi, mwyaf fyddwch chi'n ei wybod. (Wel, medde nhw!)

Crynodeb Adolygu Adran Dau

Rwy'n credu bod Adran Dau yn eitha' diddorol. Ydych chi'n cytuno? Wel, cytuno neu beidio, y peth pwysig yw eich bod chi wedi dysgu'r cyfan. Dydy'r cwestiynau ddim yn rhai i wneud i chi wenu, ond yn ffordd ddifrifol o weld beth sy'n dal heb ei ddysgu. Dyna yw adolygu, cofiwch – dod o hyd i'r pwyntiau sy'n dal heb eu dysgu, a dal ati nes eich bod yn gwybod y cwbl! Rhaid i chi ymarfer y cwestiynau hyn dro ar ôl tro – nid dim ond unwaith. Y nod yw medru ateb pob cwestiwn yn hawdd.

1) Beth yw tanwyddau ffosil? Pam maen nhw'n cael eu galw'n danwyddau ffosil?
2) Disgrifiwch sut y cafodd tanwyddau ffosil eu ffurfio. Faint o amser gymerodd hyn?
3) Rhowch fanylion am y dull o echdynnu'r tri math gwahanol o danwydd ffosil.
4) Beth sydd mewn olew crai?
5) Gwnewch ddiagram llawn i ddangos distyllu ffracsiynol olew crai.
6) Beth yw'r saith prif ffracsiwn sy'n dod o olew crai, ac i beth maen nhw'n cael eu defnyddio?
7) Beth yw hydrocarbonau? Disgrifiwch bedair priodwedd a sut maen nhw'n amrywio gyda maint y moleciwlau.
8) Ysgrifennwch yr hafaliadau ar gyfer hylosgiad cyflawn ac anghyflawn hydrocarbonau.
9) Pa fath sy'n beryglus, a pham? Beth yw'r fflamau ar gyfer y ddau fath o hylosgiad?
10) Beth yw "cracio"? Pam mae'n cael ei wneud?
11) Rhowch enghraifft o sylwedd sy'n cael ei gracio, a beth yw'r cynhyrchion.
12) Beth yw'r amodau diwydiannol sy'n cael eu defnyddio ar gyfer cracio?
13) Beth yw alcanau ac alcenau? Beth yw'r gwahaniaeth sylfaenol rhyngddyn nhw?
14) Lluniwch adeileddau'r pedwar alcan cyntaf. Rhowch eu henwau.
15) Lluniwch adeiledd ethen a dangoswch y nodwedd bwysig.
16) Beth yw polymerau? Pa fath o sylweddau sy'n gallu ffurfio polymer?
17) Gwnewch ddiagramau i ddangos sut mae ethen yn ffurfio'r polymer polythen.
18) Enwch dri math o blastig ac ysgrifennwch eu priodweddau ffisegol. At beth maen nhw'n cael eu defnyddio?
19) Beth yw creigiau, mwynau metel, a mwynau?
    Pa fetel sydd i'w gael ar ffurf metel, nid ar ffurf mwyn metel?
20) Pa ddau ddull sy'n cael eu defnyddio i echdynnu metelau o'u mwynau?
21) Beth sy'n penderfynu pa ddull fydd yn cael ei ddefnyddio?
22) Gwnewch ddiagram o ffwrnais chwyth. Rhowch enwau'r tri defnydd crai sy'n cael eu defnyddio ynddo.
23) Ysgrifennwch yr hafaliadau ar gyfer cael haearn o'i fwyn yn y ffwrnais chwyth.
24) Beth yw slag? Ysgrifennwch ddau hafaliad ar gyfer ffurfio slag, a rhowch ddwy ffordd o'i ddefnyddio.
25) Sut mae copr yn cael ei echdynnu o'i fwyn? Sut mae'n cael ei buro? Pam mae angen ei buro?
26) Gwnewch ddiagram o'r broses buro, gan ddangos y ddau hafaliad.
27) Disgrifiwch sut mae cael copr pur.
28) Sut mae alwminiwm yn cael ei echdynnu o'i fwyn? Rhowch bedwar manylyn am y broses, a diagram.
29) Eglurwch sut mae metel alwminiwm yn dod o'r broses, gan ddangos y ddau hafaliad.
30) Eglurwch dri rheswm pam mae'r broses hon mor ddrud.
31) Disgrifiwch fanteision ac anfanteision haearn (a dur), a rhowch chwe ffordd o'i ddefnyddio.
32) Disgrifiwch fanteision ac anfanteision alwminiwm, a rhowch chwe ffordd o'i ddefnyddio.
33) Disgrifiwch fanteision ac anfanteision copr, a rhowch dair ffordd o'i ddefnyddio.
34) Beth yw'r pedair prif ffordd o ddefnyddio calchfaen?
35) Ysgrifennwch yr hafaliadau ar gyfer newid calchfaen yn galch tawdd.
    Pam ydyn ni'n trafferthu i wneud hyn?
36) Rhowch bedwar o fanylion am yr hyn sy'n gwneud sment, a sut mae'n gweithio.
37) Beth yw proses Haber? Beth yw defnyddiau crai'r broses, ac o ble maen nhw'n dod?
38) Gwnewch ddiagram cyflawn o broses Haber a nodwch pa dymheredd a gwasgedd a ddefnyddir.
39) Rhowch fanylion llawn am y ffordd y caiff amonia ei newid yn asid nitrig, gan gynnwys yr hafaliadau.
40) Beth yw prif ddiben amonia? Rhowch yr hafaliad ar gyfer cynhyrchu amoniwm nitrad.
41) Rhowch ddwy broblem sy'n ganlyniad i ddefnyddio gwrtaith nitrad. Eglurwch yn llawn beth yw ystyr "ewtroffigedd".

Naw Math o Newid Cemegol

Mae naw math o newid cemegol y dylech wybod amdanynt. Bydd yn werth i chi eu dysgu y funud hon.

1) DADELFENIAD THERMOL – torri i lawr wrth wresogi

Yma, mae sylwedd yn *torri i lawr* i roi sylweddau symlach pan gaiff ei *wresogi*. Bydd *catalydd* yn helpu'n aml. Mae'n wahanol i adwaith, gan mai dim ond *un sylwedd* sydd yna ar ddechrau'r broses. Mae *cracio hydrocarbonau* yn enghraifft dda o ddadelfeniad thermol.

2) NIWTRALU – asid + alcali yn rhoi halwyn + dŵr

Yma, yn syml, mae *asid* yn adweithio ag *alcali* (neu â bas) i ffurfio cynnyrch *niwtral*, sydd ddim yn asid nac yn alcali (hydoddiant *halwyn*, fel rheol).

3) DADLEOLIAD – un metel yn cicio un arall allan

Yn yr adwaith yma, mae elfen *mwy adweithiol* yn adweithio gyda chyfansoddyn ac yn *cicio elfen* "gystadleuol" llai adweithiol *allan*. *Metelau* yw'r enghraifft fwyaf cyffredin. Bydd magnesiwm yn adweithio gyda haearn sylffad i wthio'r haearn allan a ffurfio magnesiwm sylffad.

4) DYDDODIAD – solid yn ffurfio mewn hydoddiant

Yn yr adwaith hwn, mae *dau hydoddiant yn adweithio* ac mae *solid* yn ffurfio yn yr hydoddiant ac yn *suddo*. Hynny yw, mae'r solid yn "*DYDDODI ALLAN*" . Enw'r solid yw "*gwaddod*".

5) OCSIDIAD – adio ocsigen

Adio ocsigen yw *ocsidiad*. Ocsidiad yw haearn yn troi'n haearn ocsid.

6) RHYDWYTHIAD – colli ocsigen

Gwrthwyneb ocsidiad yw *rhydwythiad*, h.y. *colli ocsigen*. Mae haearn ocsid yn cael ei *rydwytho* yn haearn.

7) ADWAITH ECSOTHERMIG – rhyddhau gwres

Mae adweithiau *ecsothermig* yn *rhyddhau egni*, ar ffurf gwres fel rheol. "Ecso–" fel yn "Ecsodus", neu "allan". Pryd bynnag y bydd *tanwydd yn llosgi* ac yn *rhyddhau gwres*, mae'n adwaith *ecsothermig*.

8) ADWAITH ENDOTHERMIG – cymryd gwres i mewn

Mae angen rhoi gwres *i mewn* yn gyson i adwaith *endothermig* er mwyn iddynt weithio. Mae angen gwres i *ffurfio bondiau cemegol*. Mae *cynhyrchion* adwaith endothermig yn debyg o fod yn *fwy defnyddiol* na'r *adweithyddion*, neu fyddai pobl *ddim yn mynd i'r drafferth o roi'r holl egni i mewn*, e.e. mae newid *haearn ocsid* yn *haearn* yn broses endothermig. Mae angen llawer o wres o'r golosg er mwyn cadw'r broses hon i fynd.

9) ADWAITH CILDROADWY – yn mynd i ddau gyfeiriad

Bydd adwaith *cildroadwy* yn barod iawn i fynd i'r *ddau* gyfeiriad ar *yr un pryd*. Mewn geiriau eraill, gall y *cynhyrchion* newid yn ôl yn rhwydd i'r *adweithyddion gwreiddiol*.

Dyna naw o bethau gwych i chi ddweud wrth eich cariad...

Tudalen hawdd, am unwaith. Dylech wybod llawer o'r pwyntiau eisoes. Beth bynnag, cuddiwch y dudalen i ddangos pob blwch melyn yn ei dro (heb ddangos gweddill y pennawd!) a rhowch gynnig ar egluro'r geiriau yn y blwch, cyn edrych eto ar weddill y testun.

Cydbwyso Hafaliadau

Mae angen llawer o ymarfer ar hafaliadau cyn i chi eu dysgu'n iawn. Dyma dudalen i'ch atgoffa am y pethau sylfaenol. Bob tro y byddwch yn gwneud hafaliad, cofiwch ymarfer nes bydd popeth yn iawn.

Mae Hafaliad Symbolau yn dangos yr atomau ar y ddwy ochr:

Magnesiwm + Ocsigen → Magnesiwm ocsid

$$2Mg + O_2 \rightarrow 2MgO$$

Mg Mg O O O Mg / Mg O

Cydbwyso Hafaliad – gwiriwch bob un yn ei dro

1) Rhaid cael yr un nifer o atomau ar y ddwy ochr bob amser – dydy atomau ddim yn gallu diflannu!
2) Er mwyn cydbwyso hafaliad, rhowch y rhifau O FLAEN y fformiwla lle mae angen. Edrychwch ar yr hafaliad hwn ar gyfer adwaith asid sylffwrig a sodiwm hydrocsid:

$$H_2SO_4 + NaOH \rightarrow Na_2SO_4 + H_2O$$

Mae pob fformiwla yn gywir, ond dydy nifer yr atomau ddim yr un peth ar y ddwy ochr. Allwch chi ddim newid fformiwla fel H_2SO_4 yn H_2SO_5. Mae'n rhaid rhoi rhifau o flaen fformiwla:

Dull: Cydbwyso UN math o atom ar y tro

Po fwyaf y byddwch yn ymarfer, y cyflymaf y byddwch yn gallu gwneud hyn. Dyma'r camau i'w dilyn:

1) Chwiliwch am elfen sydd ddim yn cydbwyso, yna ysgrifennwch rif mewn pensil i weld a yw hynny'n datrys y broblem.
2) Edrychwch ar y canlyniad. Efallai y bydd anghydbwysedd mewn man arall, felly ysgrifennwch rif arall mewn pensil i weld beth fydd y canlyniad wedyn.
3) Daliwch ati i chwilio am elfennau anghytbwys a bydd yr hafaliad yn iawn cyn bo hir.

Er enghraifft, mae'n siŵr i chi sylwi bod prinder atomau H ar yr ochr dde yn yr hafaliad uchod.

1) Yr unig beth i'w wneud am hyn yw rhoi $2H_2O$ yn lle dim ond H_2O:

$$H_2SO_4 + NaOH \rightarrow Na_2SO_4 + 2H_2O$$

2) Ond mae hyn yn rhoi gormod o atomau H ac atomau O ar yr ochr dde, felly rhaid cydbwyso drwy roi 2NaOH ar yr ochr chwith:

$$H_2SO_4 + 2NaOH \rightarrow Na_2SO_4 + 2H_2O$$

3) A dyna ni! Mae popeth yn cydbwyso – ac mae Na wedi dod i drefn ohono'i hun.

Mae Symbolau Cyflwr yn dweud beth yw Cyflwr Ffisegol yr atom

Mae'r rhain yn ddigon hawdd, ond gofalwch eich bod yn eu gwybod, yn enwedig d (dyfrllyd).

(s) – Solid	(h) – Hylif	(n) – Nwy	(d) – wedi hydoddi mewn dŵr

E.e. $2Mg_{(s)} + O_{2\,(n)} \rightarrow 2MgO_{(s)}$

Digon anodd, mae'n wir – ond peidiwch â phoeni mwy na mwy...

Ceisiwch gydbwyso'r hafaliadau symbolau hyn, a rhowch weddill y symbolau cyflwr i mewn hefyd:

1) $HCl_{(d)} + Ca \rightarrow CaCl_2 + H_2$
2) $K_{(s)} + H_2O \rightarrow KOH + H_2$
3) $HCl_{(d)} + Na_2O \rightarrow NaCl + H_2O$
4) $CH_{4\,(n)} + O_2 \rightarrow CO_2 + H_2O$

Electrolysis a'r Hanner Hafaliadau

(Grŵp pop arall o'r chwe degau? Na, gwaetha'r modd...)

Mae Electrolysis yn golygu "Hollti gyda Thrydan":

1) Mae angen hylif, sef yr electrolyt, sy'n dargludo trydan.
2) Mae electrolytau fel arfer yn ïonau rhydd wedi hydoddi mewn dŵr, e.e. asidau gwanedig megis HCl, a halwynau wedi hydoddi, e.e. hydoddiant NaCl.
3) Gall electrolytau hefyd fod yn sylweddau ïonig tawdd ond, ar gyfer hyn, mae angen tymheredd uwch. Beth bynnag yw'r electrolyt, yr ïonau rhydd sy'n gwneud i'r holl beth weithio, gan mai nhw sy'n dargludo'r trydan.
4) Mae'r cyflenwad trydan yn gweithio fel pwmp electronau, gan symud electronau o'r anod +if i'r catod –if. Bydd ïonau yn ennill neu'n colli electronau ar yr electrodau, a bydd atomau a moleciwlau niwtral yn cael eu rhyddhau.

NaCl wedi hydoddi

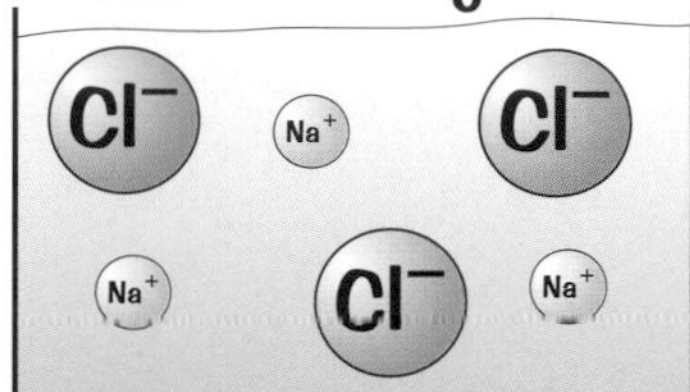

NaCl tawdd

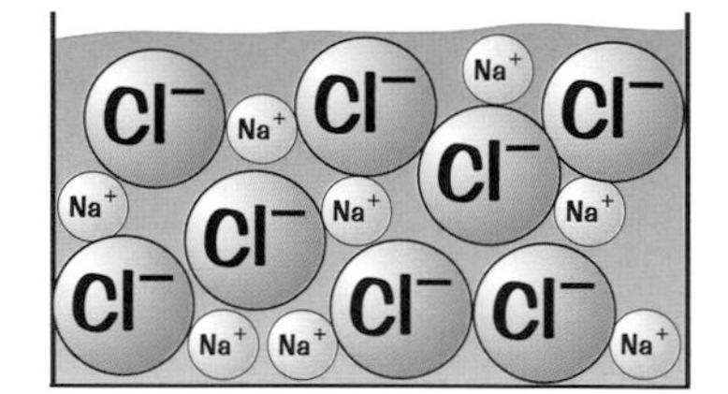

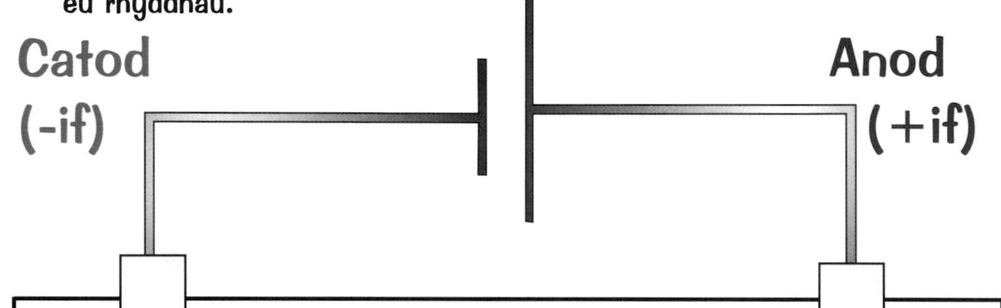

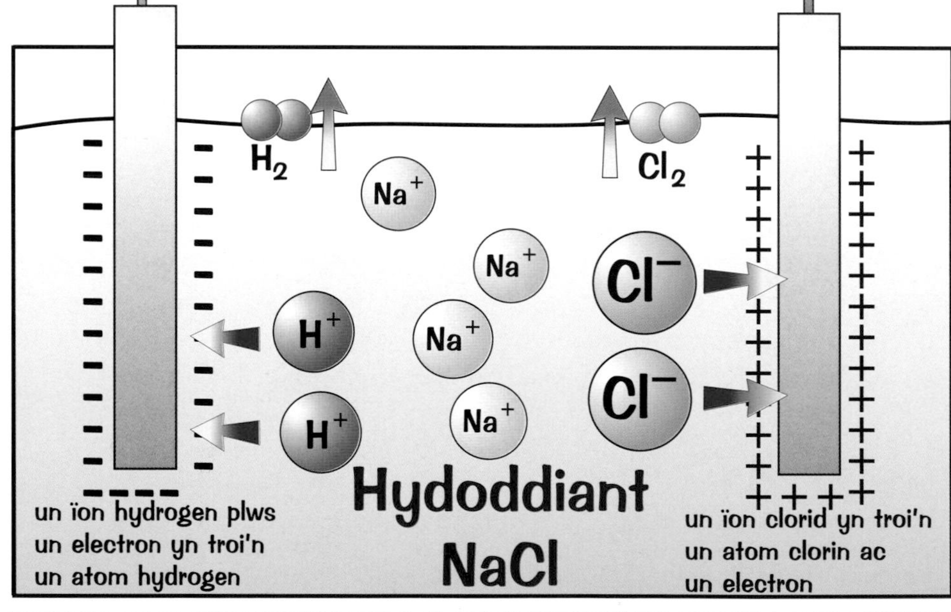

Caiff ïonau –if eu hatynnu at yr ANOD, felly ANÏONAU yw eu henw.

Caiff ïonau +if eu hatynnu at y CATOD; felly CATÏONAU yw eu henw.

Dydy'r Hanner Hafaliadau ddim hanner cynddrwg â hynny...

1) Dylech fod yn iawn gyda'r adweithiau bychain sy'n digwydd ar bob electrod.
2) Fe'u gelwir yn "hanner hafaliadau" ac maen nhw bob amser yn cynnwys electronau ac ïonau +if neu –if.
3) Dyma'r ddau hanner hafaliad ar gyfer y gell uchod.

CATOD:
$2H^+_{(d)} + 2e^- \rightarrow H_{2\,(n)}$

ANOD:
$2Cl^-_{(d)} \rightarrow Cl_{2\,(n)} + 2e^-$

Catïonau – swnio fel peth da i gadw'r gath draw...

Rhowch gynnig ar ysgrifennu'r manylion hyn i gyd ar ffurf traethawd byr. Gall electrolysis eich drysu weithiau. Rwy'n credu y bydd yn rhaid i chi wneud ymdrech i ddysgu'r holl fanylion, yn enwedig sut mae dau hanner hafaliad yn un hafaliad mewn gwirionedd, ond yn digwydd mewn dau le, gyda batri'n eu cysylltu.

Màs Fformiwla Cymharol

Y drafferth gyda MÀS ATOMIG CYMHAROL a MÀS FFORMIWLA CYMHAROL yw eu bod yn swnio mor anodd. Byddai'n naturiol i chi feddwl, *"Mae'r enwau mor hir ac anodd fydda'i byth yn deall y peth"*. Ond, mewn gwirionedd, maen nhw'n rhwydd. Edrychwch sut mae popeth yn egluro'i hun...

Màs Atomig Cymharol, A_r – digon hawdd

1) Dyma ffordd o ddweud pa mor drwm yw gwahanol atomau o'u cymharu â'i gilydd.
2) Y màs atomig cymharol A_r yw rhif màs yr elfen, a dyna'i gyd!
3) Yn y tabl cyfnodol, mae dau rif ar gyfer pob elfen.
   Y rhif lleiaf yw'r rhif atomig (sawl proton sydd gan yr elfen).
   Y rhif mwyaf yw'r rhif màs (sawl proton a niwtron sydd gan yr elfen) – a dyma hefyd, mae'n amlwg, yw'r màs atomig cymharol. Hawdd!

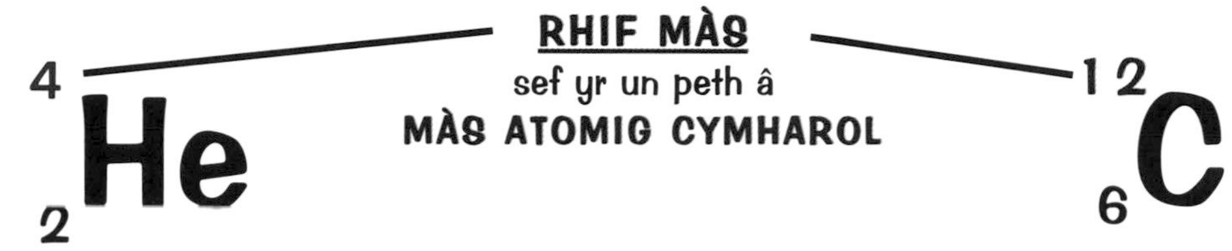

Ar gyfer heliwm, $A_r = 4$. Ar gyfer carbon, $A_r = 12$. (Felly mae atomau carbon 3 gwaith yn drymach nag atomau heliwm).

Màs Fformiwla Cymharol, M_r – peth hawdd eto

Os oes gennych gyfansoddyn megis $MgCl_2$, mae ganddo FÀS FFORMIWLA CYMHAROL, M_r, sydd yn gyfanswm o'r holl fasau atomig cymharol wedi'u hadio at ei gilydd.
Ar gyfer $MgCl_2$ y MÀS FFORMIWLA CYMHAROL fyddai:

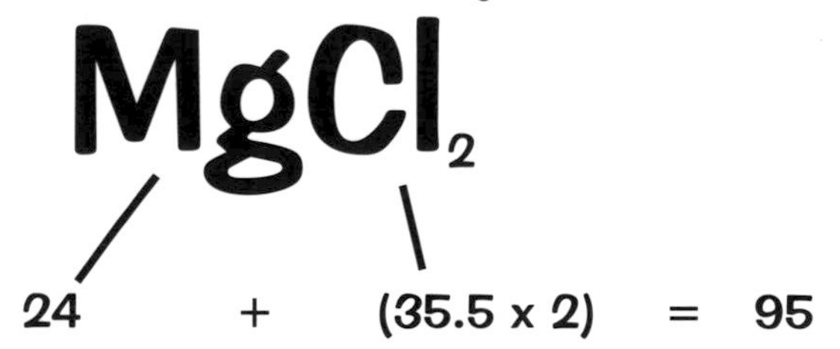

Felly, yn syml, 95 yw M_r $MgCl_2$.

Gallwch ddod o hyd i A_r unrhyw elfen o'r Tabl Cyfnodol (y tu mewn i'r clawr blaen) ond maen nhw'n eu rhoi mewn nifer o gwestiynau beth bynnag. I fod yn garedig, dyma enghraifft arall i chi:

Cwestiwn: Darganfyddwch fàs fformiwla cymharol calsiwm carbonad, $CaCO_3$, drwy ddefnyddio'r data hyn:
A_r ar gyfer Ca = 40 A_r ar gyfer C = 12 A_r ar gyfer O = 16

ATEB:

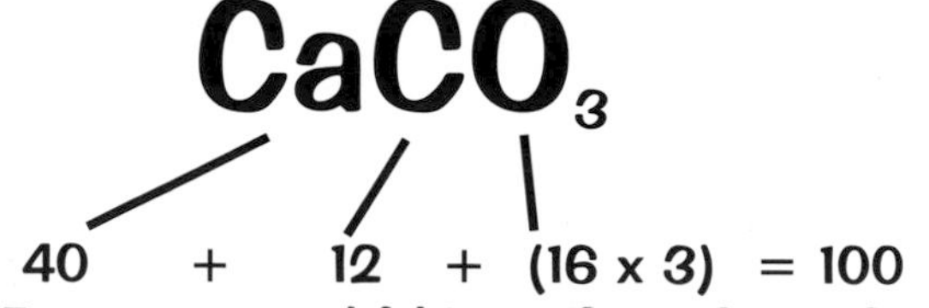

Felly, Màs Fformiwla Cymharol $CaCO_3$ yw 100

A dyna ni. Enw mawr crand fel Màs Fformiwla Cymharol, a'r cyfan mae'n ei olygu yw "adiwch y rhifau màs i gyd gyda'i gilydd". Ydych chi'n teimlo'n lwcus? Neu'n siomedig?

Cemeg! Weithiau, mae'n ddigon i godi arswyd arnoch chi...

Pan fyddwch yn gwybod y manylion i gyd, cuddiwch y dudalen, ac ysgrifennwch y pethau pwysig. Wnaethoch chi adael unrhyw beth allan?

1) Defnyddiwch y tabl cyfnodol i ddod o hyd i'r màs atomig cymharol ar gyfer pob un o'r elfennau hyn: Cu, K, Kr, Fe, Cl
2) Hefyd, dewch o hyd i'r màs fformiwla cymharol ar gyfer pob un o'r cyfansoddion hyn: NaOH, Fe_2O_3, C_6H_{14}, $Mg(NO_3)_2$

Cyfrifo Canran Màs

Er nad yw Màs Atomig Cymharol a Màs Fformiwla Cymharol yn rhy anodd, gall pethau fynd yn gymhleth pan fyddwch yn ceisio eu defnyddio mewn cyfrifiadau eraill. Yn yr Arholiad, mae'n eithaf posibl y cewch chi gwestiwn yn gofyn i chi gyfrifo canran màs...

Cyfrifo Canran (%) Màs Elfen mewn Cyfansoddyn

A dweud y gwir, mae'n ddigon hawdd – ond gofalwch ddysgu'r fformiwla yma:

$$\text{CANRAN MÀS ELFEN MEWN CYFANSODDYN} = \frac{A_r \times \text{NIFER ATOMAU (yr elfen honno)}}{M_r \text{ Y CYFANSODDYN CYFAN}} \times 100$$

Os na fyddwch wedi dysgu'r fformiwla, bydd yn rhaid i chi fod yn glyfar dros ben – neu bydd ymdrech galed iawn yn eich wynebu. Efallai y cofiwch chi'r fformiwla'n well yn fyr fel hyn:

$$\% \text{ MÀS} = \frac{A_r \times n}{M_r} \times 100$$

ENGHRAIFFT: Darganfyddwch ganran màs yr ocsigen mewn potasiwm hydrocsid, KOH

ATEB:

1) Fel y gwyddoch, y fformiwla ar gyfer % màs yw: $\% \text{ MÀS} = \frac{A_r \times n}{M_r} \times 100$
2) Drwy ddefnyddio'r tabl cyfnodol gallwn ddarganfod gwerthoedd ar gyfer A_r ac M_r:
   A_r ocsigen = 16
   M_r KOH = 39 + 16 + 1 = 56
3) Nawr defnyddiwn y fformiwla: $\% \text{ màs} = \frac{A_r \times n}{M_r} \times 100 = \frac{16 \times 1}{56} \times 100 = 28.6\%$

A dyna ni. Mae ocsigen yn 28.6% o fàs potasiwm hydrocsid, KOH.

ENGHRAIFFT 2: Darganfyddwch ganran màs y sodiwm mewn sodiwm carbonad, Na_2CO_3

ATEB: Dilynwch y camau syml hyn

1) Unwaith eto, y fformiwla ar gyfer % màs yw: $\% \text{ MÀS} = \frac{A_r \times n}{M_r} \times 100$
2) Drwy ddefnyddio'r tabl cyfnodol gallwn ddarganfod gwerthoedd ar gyfer A_r ac M_r:
   A_r sodiwm = 23 (ond byddwch yn ofalus – mae dau ohonyn nhw!)
   M_r Na_2CO_3 = (2x23)+12+(3x16)=106
3) Yna, defnyddiwn y fformiwla: $\% \text{ màs} = \frac{A_r \times n}{M_r} \times 100 = \frac{23 \times 2}{106} \times 100 = 43.4\%$

Ystyr Na_2 yw 2 atom Na, felly rhaid rhoi $23 \times 2 = 46$

A dyna ni. Mae sodiwm (Na) yn 43.4% o fàs sodiwm carbonad (Na_2CO_3).

Wrth gwrs gallai Dmitri Mendeleyev wneud hyn i gyd yn ei gwsg chwarae teg iddo...

Gwnewch yn siŵr eich bod yn dysgu'r fformiwla sydd ar ben y dudalen hon. Yna, rhowch gynnig ar yr enghreifftiau hyn:

1) Beth yw canran màs yr ocsigen mewn: a) Fe_2O_3 b) H_2O c) $CaCO_3$ ch) H_2SO_4?
2) Beth yw canran màs y nitrogen mewn: a) HNO_3 b) NO_2 c) KCN ch) $Al(NO_3)_3$?

Crynodeb Adolygu Adran Tri

Rhagor o gwestiynau cas i'ch poeni. Ond, y peth yw, pam trafferthu ateb cwestiynau hawdd? Mae'r rhai erchyll yma yn fwy tebyg o'ch helpu i weld beth yn hollol rydych chi'n ei wybod ac, yn waeth byth, beth nad ydych chi'n ei wybod. Mae'n codi ofn, mi wn i hynny, ond er mwyn gwneud unrhyw beth mewn bywyd mae'n rhaid i chi wynebu rhai pethau anodd, a dyna ni. Tynnwch anadl ddofn, a rhowch gynnig ar y rhain:

(Atebion ar T.80)

1) Beth yw ystyr "dadelfeniad thermol"?
2) Rhowch enghraifft o adwaith o'r fath.
3) Beth yw niwtraliad?
4) Rhowch enghraifft o adwaith niwtralu.
5) Beth yw adwaith dadleoli?
6) Rhowch enghraifft o adwaith dadleoli.
7) Beth yw adwaith dyddodi?
8) Rhowch enghraifft o adwaith dyddodi.
9) Beth yw ystyr adwaith ocsidio?
10) Rhowch enghraifft o adwaith ocsidio.
11) Beth yw rhydwythiad?
12) Rhowch enghraifft o rydwythiad.
13) Beth yw adwaith ecsothermig?
14) Rhowch ddwy enghraifft o adweithiau ecsothermig.
15) Beth yw adwaith endothermig?
16) Rhowch ddwy enghraifft o adweithiau endothermig.
17) Beth yw ystyr adwaith cildroadwy?
18) Rhowch ddwy enghraifft o adweithiau cildroadwy.
19) Rhowch dair rheol ar gyfer cydbwyso hafaliadau.
20) Cydbwyswch yr hafaliadau hyn a rhowch y symbolau cyflwr i mewn:
    a) $HCl + MgO \rightarrow MgCl_2 + H_2O$
    b) $HCl + Na \rightarrow NaCl + H_2$
    c) $CaCO_3 + HCl \rightarrow CaCl_2 + H_2O + CO_2$
    ch) $Ca + H_2O \rightarrow Ca(OH)_2 + H_2$
    d) $Fe_2O_3 + H_2 \rightarrow Fe + H_2O$
    dd) propan + ocsigen → carbon deuocsid + dŵr

21) Beth yw electrolysis? Beth sydd ei angen er mwyn i electrolysis ddigwydd?
22) Gwnewch ddiagram i ddangos electrolysis hydoddiant NaCl. Beth yw catïonau ac anïonau?
23) Beth yw'r hanner hafaliadau ar gyfer electrolysis hydoddiant NaCl?
24) Beth yw A_r ac M_r?
25) Beth yw'r berthynas rhwng A_r a nifer y protonau a'r niwtronau yn yr atom?
26) Darganfyddwch yr A_r a'r M_r ar gyfer y canlynol (defnyddiwch y tabl cyfnodol y tu mewn i'r clawr blaen):
    a) Ca b) Ag c) CO_2
    ch) $MgCO_3$ d) Na_2CO_3 dd) ZnO
    e) KOH f) NH_3 ff) bwtan
    g) sodiwm clorid ng) haearn(III) clorid

27) Beth yw'r fformiwla ar gyfer cyfrifo canran màs elfen mewn cyfansoddyn?
    a) Cyfrifwch ganran màs yr ocsigen mewn magnesiwm ocsid, MgO
    b) Cyfrifwch ganran màs y carbon mewn i) $CaCO_3$ ii) CO_2 iii) methan
    c) Cyfrifwch ganran màs y metel yn yr ocsidau hyn i) Na_2O ii) Fe_2O_3 iii) Al_2O_3

Atmosffer Heddiw

Mae'r atmosffer sydd gennym heddiw yn berffaith ar ein cyfer ni

1) Mae'r atmosffer wedi esblygu'n raddol dros gannoedd a miloedd o flynyddoedd. Esblygu wnaethom ninnau hefyd. Digwyddodd y cyfan yn araf iawn.
   Mae'r atmosffer wedi aros yr un, fwy neu lai, dros y 200 miliwn o flynyddoedd diwethaf.
2) Rydym yn poeni ein bod yn newid yr atmosffer er gwaeth drwy ryddhau gwahanol nwyon sy'n cael eu cynhyrchu gan ddiwydiant.
3) Mae yna dri thestun pryder arbennig: Yr Effaith Tŷ Gwydr, Yr Haen Oson a Glaw Asid.
   Mae disgrifiadau manwl o'r rhain ar T.37 a T.38.

Cyfansoddiad yr Atmosffer Heddiw

Cyfansoddiad yr atmosffer ar hyn o bryd yw:

78%	Nitrogen
1%	Argon
21%	Ocsigen
0.04%	Carbon deuocsidd

(Yn aml, 79% Nitrogen sy'n cael ei ysgrifennu, er mwyn bod yn syml.)

Hefyd:
1) Symiau amrywiol o *ANWEDD DŴR*.
2) Symiau bychain dros ben o *nwyon nobl* eraill.

(Mae'r cyfanswm dros 100% oherwydd bod canrannau Nitrogen, Argon ac Ocsigen yn cael eu talgrynnu dipyn bach.)

Sylwch, hefyd, mor fychan yw swm y carbon deuocsid.

Arbrawf Syml i ddarganfod % yr Ocsigen yn yr Aer

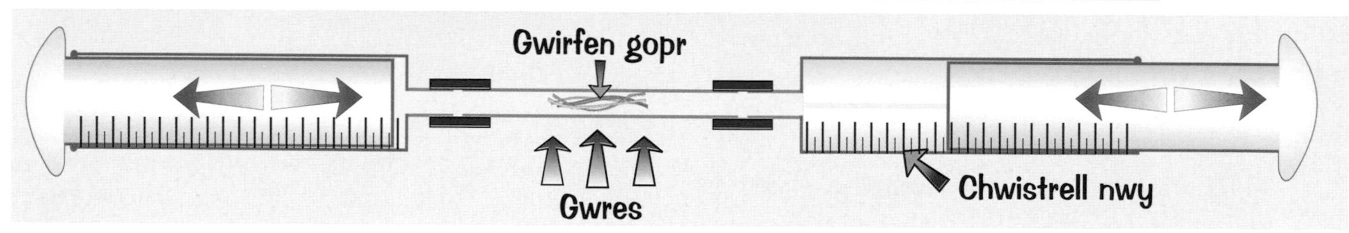

Dull

1) Dechreuwch gydag un chwistrell nwy wedi'i gwthio i mewn yn llwyr.
2) Pan fydd y chwistrell arall yn llawn, cymrwch ddarlleniad i weld faint yw cyfaint yr aer i ddechrau.
3) Yna, gwthiwch yr aer yn y chwistrelli yn ôl ac ymlaen dros y copr poeth.
4) Mae'r copr yn tynnu'r ocsigen o'r aer ac yn cynhyrchu copr ocsid du.
5) Pan nad oes rhagor o'r copr yn troi'n ddu, gadewch iddo oeri, a mesurwch faint o'r aer sydd ar ôl.
6) Er mwyn gwirio bod yr ocsigen i gyd wedi'i ddefnyddio, rhaid gwresogi'r copr eto am dipyn bach, a gwthio'r aer yn ôl ac ymlaen drosto unwaith yn rhagor.
   Yna, gadewch iddo oeri a mesurwch y cyfaint eto.
7) Yna, byddwch yn gallu cyfrifo canran yr ocsigen yn yr aer drwy ddefnyddio'r fformiwla:

$$\text{Canran yr ocsigen} = \frac{\text{Y newid yn y cyfaint}}{\text{Y cyfaint i ddechrau}} \times 100$$

Anwedd dŵr yn llai nag 1% ?! – felly pam mae'n bwrw glaw drwy'r amser...

Mae hyn i gyd yn eitha' syml. Bydd ambell un yn credu ei fod yn rhy syml i'w ddysgu. Twt lol. Does dim gwastraff ar yr un dudalen yn y llyfr hwn. Felly dysgwch y cyfan.

Esblygiad yr Atmosffer

Cyfansoddiad yr atmosffer ar hyn o bryd yw:
78% Nitrogen, 21% Ocsigen, 0.04% CO_2 (= 99.04%)
Mae'r 1% sy'n weddill yn cynnwys nwyon nobl (argon yn bennaf). A hefyd, mae llawer o anwedd dŵr ar brydiau. Ond dydy'r atmosffer ddim wedi bod fel hyn bob amser. Dyma sydd wedi digwydd dros y 4.5 biliwn mlynedd cyntaf:

Cyfnod 1 – Roedd Llosgfynyddoedd yn rhyddhau Ager ac CO_2

1) Yn wreiddiol, roedd wyneb y Ddaear ar ffurf dawdd am filiynau lawer o flynyddoedd. Roedd unrhyw atmosffer yn berwi i ffwrdd.
2) Ymhen amser hir, oerodd wyneb y Ddaear gan ffurfio cramen denau ond roedd llosgfynyddoedd yn dal i echdorri, gan ryddhau carbon deuocsid yn bennaf – ond hefyd ychydig o anwedd dŵr (ager).
3) CO_2 yn bennaf oedd yr atmosffer cynnar (braidd dim ocsigen).
4) Dyma'r anwedd dŵr yn cyddwyso i ffurfio'r cefnforoedd.
5) Lle da am wyliau?
   Na! Angen sgidiau hoelion cryf a chôt dda.

Cyfnod 2 – Planhigion Gwyrdd yn Esblygu gan gynhyrchu Ocsigen

1) Roedd planhigion gwyrdd yn esblygu dros wyneb y rhan fwyaf o'r Ddaear.
2) Hydoddodd llawer o'r CO_2 cynnar yn y cefnforoedd.
3) Ond, yn raddol, roedd y planhigion gwyrdd yn cael gwared ar y CO_2 ac yn cynhyrchu O_2 drwy ffotosynthesis.
4) Felly, cafodd llawer o'r CO_2 o'r aer ei gloi mewn tanwyddau ffosil a chreigiau gwaddod.
5) Roedd organebau byw megis bacteria hefyd yn rhyddhau nitrogen.
6) Lle da am wyliau?
   Braidd yn llithrig o dan draed! Angen welingtons a hufen haul.

Esblygiad yr Atmosffer

Cyfnod 3 – Yr Haen Oson yn caniatáu Esblygiad Anifeiliaid Cymhleth

1) Wrth i'r ocsigen yn yr atmosffer gynyddu, cafodd organebau cynnar oedd ddim yn gallu ei oddef eu lladd.
2) Hefyd, roedd yn galluogi esblygiad organebau mwy cymhleth a allai ddefnyddio'r ocsigen.
3) Yr ocsigen hefyd wnaeth greu yr haen oson (O_3) oedd yn atal pelydrau niweidiol o'r Haul, gan alluogi organebau hyd yn oed mwy cymhleth i ddatblygu.
4) Erbyn hyn, does braidd dim CO_2 ar ôl.
5) Lle da am wyliau?
   Hyfryd iawn! Ewch yno cyn i'r tyrfaoedd ddifetha'r lle.

Erbyn hyn, mae'r Cefnforoedd yn dal llawer o Garbon Deuocsid

1) Cafodd y Cefnforoedd eu ffurfio gan ager yn cyddwyso yn yr atmosffer cynnar.
2) Yna, dechreuoedd y cefnforoedd amsugno'r CO_2 o'r atmosffer.
3) Erbyn hyn, maen nhw'n cynnwys llawer iawn o garbon deuocsid wedi hydoddi yn y dŵr.
4) Mae CO_2 wedi ei rwymo mewn tanwyddau ffosil hefyd, megis glo ac olew, oedd yn arfer bod yn blanhigion ac anifeiliaid.

Carbon deuocsid yn hydoddi o'r aer i'r Cefnforoedd

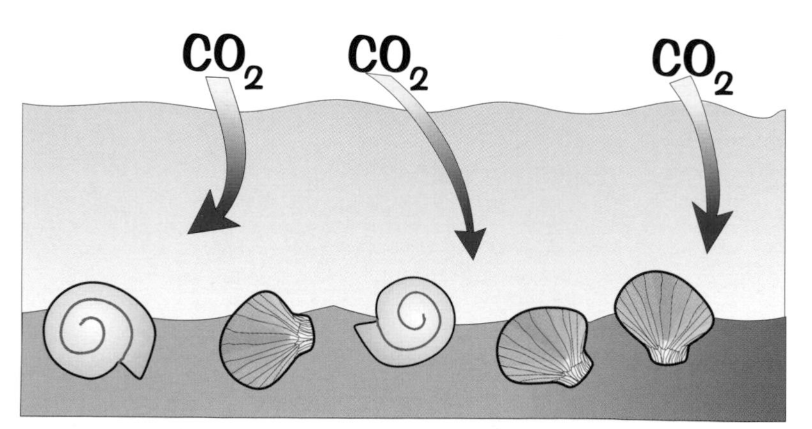

Mae'n syndod o beth — 4½ biliwn o flynyddoedd...

Mae'r atmosffer wedi newid yn enfawr dros gyfnod hir, hir. Mae'n gwneud i'r obsesiwn heddiw, am lefel CO_2 yn cynyddu o 0.03% i 0.04%, ymddangos yn eitha' twp. Ond does dim ots am hynny – cofiwch ddysgu'r tri chyfnod, a'r manylion i gyd. Does dim rhaid i chi lunio'r diagramau, ond, erbyn meddwl, byddai'n ffordd dda o ddysgu'r cyfan. Byddai wir.

Problemau Atmosfferig a Grëwyd gan Bobl

Peidiwch â chymysgu'r tair gwahanol broblem atmosfferig. Maen nhw'n gwbl ar wahân.
(Mae mwy o fanylion amdanyn nhw yn y Llyfr Bioleg. Wel, mae mwy o le ynddo ar gyfer lluniau prydferth.)

1) Mae Glaw Asid yn cael ei achosi gan Sylffwr Deuocsid ac Ocsidau Nitrogen

1) Pan fydd tanwyddau ffosil yn cael eu llosgi, maen nhw'n rhyddhau CO_2 yn bennaf (sy'n gyfrifol am yr Effaith Tŷ Gwydr).
2) Ond maen nhw hefyd yn rhyddhau dau nwy niwediol arall, sef sylffwr deuocsid ac ocsidau nitrogen amrywiol.
3) Daw'r sylffwr deuocsid, SO_2, o amhureddau sylffwr yn y tanwyddau ffosil.
4) Ond mae'r ocsidau nitrogen yn cael eu creu gan adwaith rhwng y nitrogen a'r ocsigen yn yr aer, sy'n cael ei achosi gan wres y llosgi.
5) Pan fydd y nwyon hyn yn cymysgu â chymylau maen nhw'n ffurfio asid sylffwrig gwanedig ac asid nitrig gwanedig.
6) Mae'r rhain wedyn yn disgyn fel glaw asid.
7) Ceir a phwerdai yw prif achosion glaw asid.

Mae Glaw Asid yn lladd Pysgod, Coed a Cherfluniau

1) Mae glaw asid yn gwneud llynnoedd yn asidig ac, o ganlyniad, mae llawer o blanhigion ac anifeiliaid yn marw.
2) Mae glaw asid yn lladd coed, yn niweidio adeiladau calchfaen, ac yn dinistrio cerfluniau carreg. Mae'n warth.

2) Nwyon CFC (o aerosolau) sy'n achosi'r Twll yn yr Haen Oson

1) Mae moleciwlau oson, O_3, wedi'u gwneud o dri atom ocsigen.
2) Mae haen o oson yn uchel i fyny yn yr atmosffer.
3) Yr haen hon sy'n amsugno pelydrau UF niweidiol o'r Haul.
4) Mae nwyon CFC yn adweithio gyda'r moleciwlau oson ac yn eu torri i lawr.
5) Wrth i'r teneuo hyn ddigwydd yn yr haen oson, mae pelydrau UF niweidiol yn gallu cyrraedd wyneb y Ddaear.

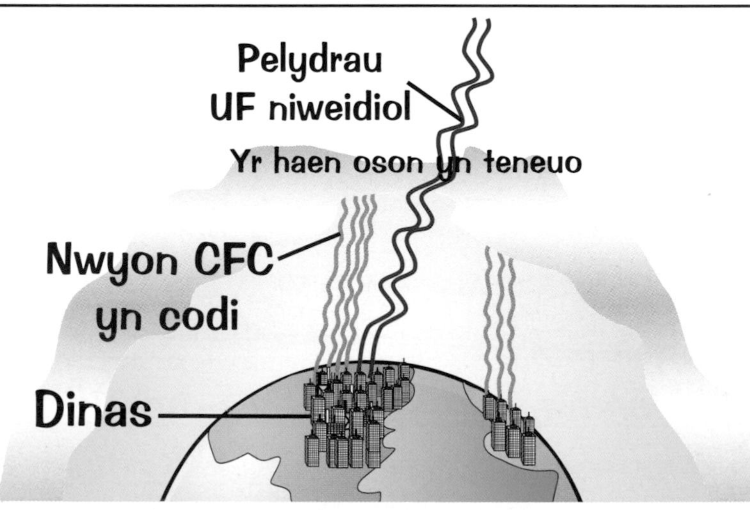

6) Ond cofiwch, does gan hyn ddim byd i'w wneud â'r Effaith Tŷ Gwydr na glaw asid. Peidiwch â'u cymysgu.

Problemau Atmosfferig a Grëwyd gan Bobl

3) Mae'r Effaith Tŷ Gwydr yn cael ei achosi gan CO_2 yn dal gwres

1) Mae'r Effaith Tŷ Gwydr yn gwneud i'r Ddaear boethi, yn araf dros ben.
2) Y prif achos yw'r cynnydd yn lefel yr CO_2 yn yr atmosffer, o ganlyniad i losgi symiau enfawr o danwyddau ffosil dros y ddwy ganrif ddiwethaf.
3) Mae'r carbon deuocsid (a rhai nwyon eraill) yn dal y gwres sy'n cyrraedd y Ddaear o'r Haul.
4) Bydd hyn yn achosi cynnydd yn y tymheredd, sydd wedyn yn debyg o achosi newid yn yr hinsawdd a phatrwm y tywydd ledled y byd, a llifogydd efallai, o ganlyniad i ymdoddi'r capiau rhew yn y Pegynau.

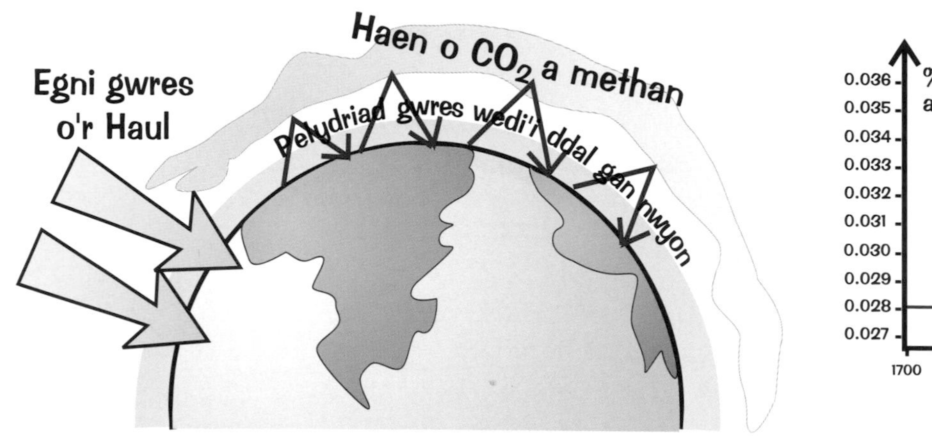

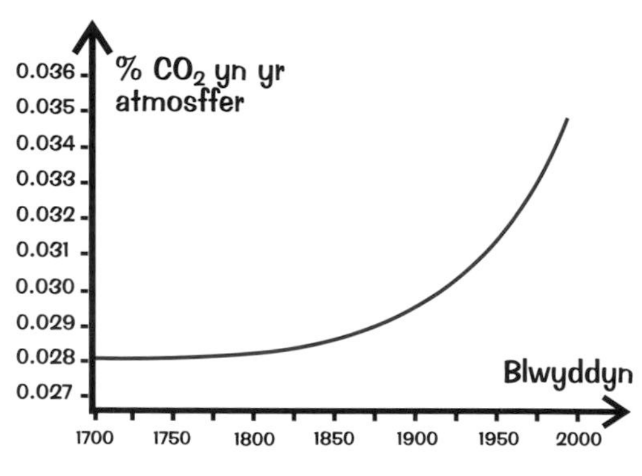

5) Mae lefel yr CO_2 yn yr atmosffer wedi codi tua 20%, a bydd yn para i godi tra byddwn ni'n para i losgi tanwyddau ffosil, fel mae'r graff yn dangos yn glir.
6) Dydy datgoedwigo ddim yn helpu chwaith.
7) Oherwydd bod crynodiad yr CO_2 yn yr atmosffer wedi cynyddu, mae'n golygu bod wynebau'r cefnforoedd yn amsugno ychydig mwy o CO_2, ond dim digon i atal y lefelau rhag codi.

Peidiwch â chymysgu y tri yma!

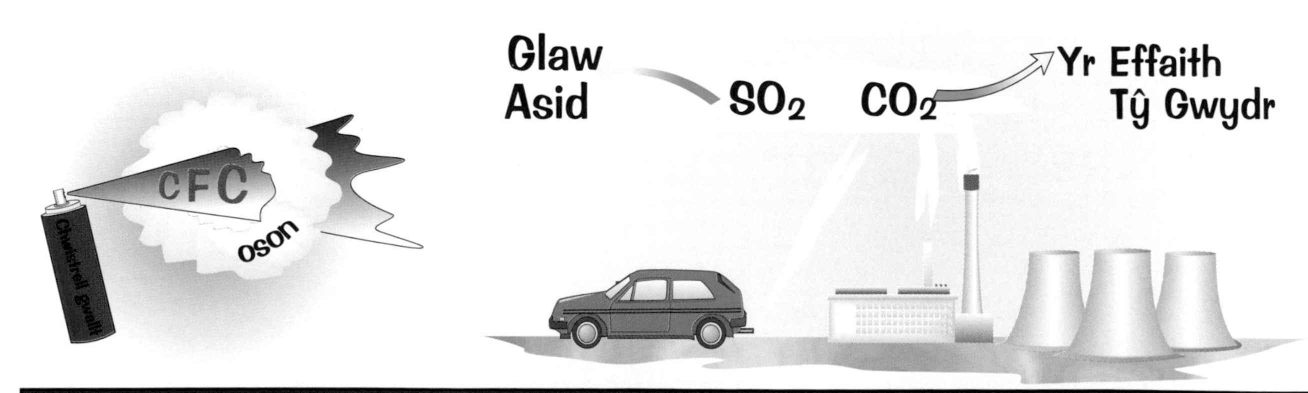

CFCau = ***HAEN OSON*** SO_2 ac NO_x = ***GLAW ASID*** CO_2 = ***YR EFFAITH TŶ GWYDR***

Problemau, problemau – a mwy o broblemau...

Mae'n syndod faint o wybodaeth sydd yma am broblemau amgylcheddol ond, yn anffodus, mae llawer o bapurau Arholiad yn y gorffennol wedi gofyn am y manylion hyn. Erbyn hyn, rydych chi'n gwybod y drefn – dysgu, cuddio, ysgrifennu, gwirio...dysgu...

Y Gylchred Garbon

Mae'r diagram isod yn dangos Y Gylchred Garbon. Yn fyr, mae'n dangos sut mae carbon yn newid yn wahanol ffurfiau ac yn cael ei ailgylchu o hyd ac o hyd. Mae i weld yn anodd i ddechrau, ond ar ôl i chi ddysgu'r cyfan, bydd popeth yn iawn.

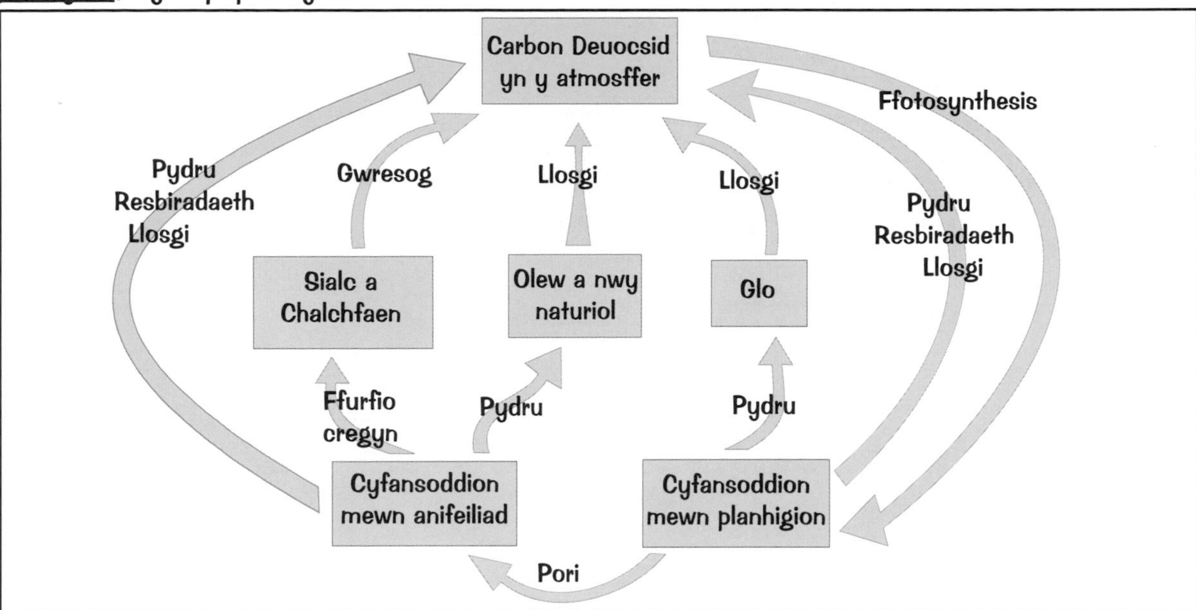

1) Yn y Llyfr Bioleg, mae fersiwn arall o'r gylchred garbon sy'n llawer iawn gwell.
2) Mae sawl ffordd wahanol o geisio dangos y gylchred garbon ond, yn y pen draw, yr un pethau sy'n digwydd. Bydd deall un diagram yn eich helpu i ddeall diagramau sy'n edrych yn wahanol, ond yn dangos yr un peth mewn gwirionedd. Ar wahân i'r lliwiau prydferth, dyma fersiwn safonol y maes llafur. Felly, mae'n debyg i unrhyw ddiagram o'r gylchred garbon y byddwch yn debyg o'i weld yn yr arholiad.
3) Mae'r diagram hwn yn dangos yr holl wybodaeth heb geisio gwneud y cyfan yn eglur! Mae'r Llyfr Bioleg yn ceisio egluro pethau, felly edrychwch yn hwnnw, a'u cymharu.
4) Mae hwn yn cynnwys dau beth sydd ddim yn y Llyfr Bioleg, sef sialc a chalchfaen.
5) Dylech ddysgu am y prosesau hyn i gyd mewn mannau eraill. Crynodeb yn unig yw'r diagram hwn.
6) Yn yr Arholiad, efallai y cewch chi'r diagram heb labeli, a'r cwestiwn yn gofyn i chi egluro neu ddisgrifio'r broses goll, felly mae'n bwysig iawn eich bod yn deall y cyfan ac yn gwybod am bob proses.
7) Dyma fersiwn wag, i roi cyfle i chi ymarfer.

   Cuddiwch y gwreiddiol, yna llenwch y cyfan (yn ysgafn mewn pensel) ychydig bach ar y tro.

   Yna, daliwch ati i ymarfer ac ymarfer eto, nes byddwch chi'n gallu gwneud y cyfan. Mae'n llai anodd nag y mae'n edrych – wir-yr!

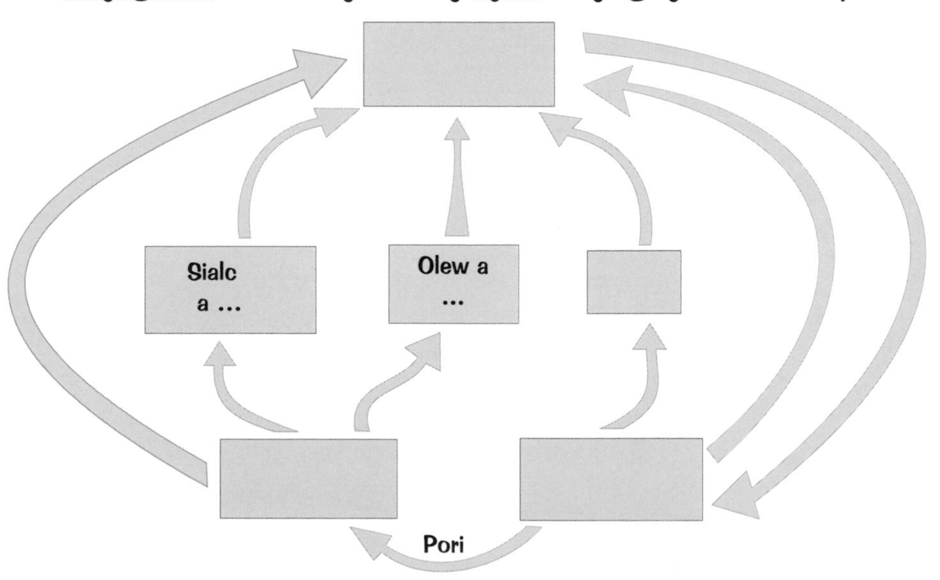

Dysgwch a Mwynhewch...

Y Gylchred Garbon – un o'r Deg Uchaf yn y Maes Llafur Gwyddoniaeth Ddwbl (fyddech chi'n cytuno??)

Hindreuliad a'r Gylchred Ddŵr

(Teitl da ar gyfer pennod o 'Pobol y Cwm'!)

Proses sy'n torri creigiau yw Hindreuliad

Mae creigiau yn cael eu torri yn ddarnau mân mewn tair ffordd bendant:

A) Mae iâ mewn craciau yn achosi hindreuliad ffisegol

1) Mae dŵr glaw yn tryddiferu (llifo'n araf) i mewn i'r craciau mewn creigiau. Os yw'r tymheredd yn mynd islaw'r rhewbwynt, mae'r dŵr yn troi'n iâ, a'r ehangu yn gwthio'r creigiau ar wahân.
2) Mae hyn yn digwydd bob tro y bydd y dŵr yn dadmer ac yn ailrewi.
3) Ymhen amser, bydd darnau o graig yn torri i ffwrdd.

B) Mae glaw asid yn achosi hindreuliad cemegol

1) Nid dim ond llygredd sy'n achosi glaw asid; mae glaw cyffredin yn asid gwan beth bynnag. Felly, bydd glaw yn hydoddi pob calchfaen yn raddol.

C) Mae gwreiddiau planhigion mewn craciau yn achosi hindreuliad biolegol

1) Mae planhigion yn gwthio'u gwreiddiau drwy graciau mewn creigiau. Mae'r creigiau'n cael eu gwthio ar wahân, yn raddol, pan fydd y gwreiddiau'n tyfu.

Erydiad a Chludo

1) Pan fydd erydiad yn digwydd, bydd creigiau noeth yn cael eu treulio a'u cludo ymaith. Mae erydiad yn wahanol i hindreuliad.
2) Cludo yw'r broses sy'n digwydd pan fydd darnau o graig yn cael eu cario ymaith, naill ai drwy syrthio oherwydd disgyrchiant, neu drwy gael eu cario gan ddŵr yr afon. Wrth fynd i lawr afon, bydd creigiau'n cael eu treulio, a hefyd yn treulio gwely'r afon gan greu dyffryn afon. Mae'r Grand Canyon yn Unol Daleithiau America yn enghraifft wych.

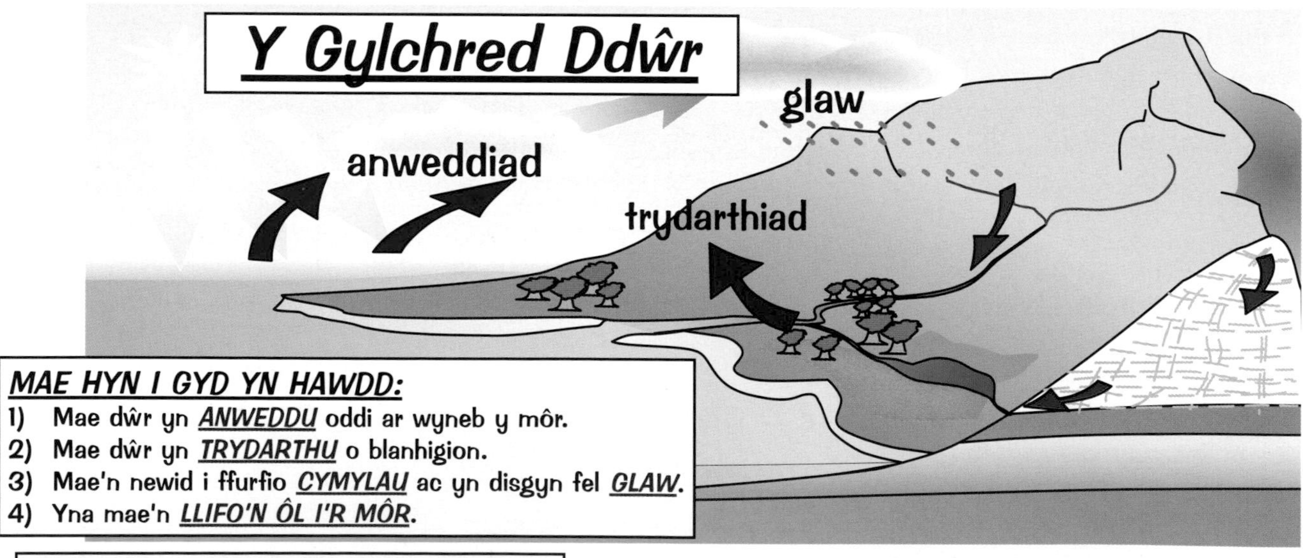

PEDWAR O FANYLION YCHWANEGOL: *(ychydig bach yn fwy anodd i'w cofio na'r diagram)*

1) Yr HAUL sy'n achosi i'r dŵr anweddu oddi ar wyneb y môr.
2) Mae cymylau'n ffurfio oherwydd bod yr aer, wrth godi, yn oeri, a'r dŵr yn cyddwyso allan.
3) Wedi i'r diferion sydd wedi cyddwyso fynd yn rhy fawr, maen nhw'n disgyn fel glaw.
4) Bydd gwreiddiau yn sugno peth dŵr i fyny; yna, bydd y dŵr hwnnw'n anweddu o'r coed heb gyrraedd y môr o gwbl.

Tudalen arall o waith caled...

Ond mae'r ffeithiau'n ddigon hawdd mewn gwirionedd – fyddech chi ddim yn cytuno? Y peth anodd yw cofio'r geiriau crand megis "erydiad" a "hindreuliad cemegol". Er enghraifft, cofiwch nad yr un peth yw "erydiad" a "hindreuliad". Yr un hen gân, mae arna'i ofn – Dysgwch, cuddiwch y dudalen – ac yn y blaen.

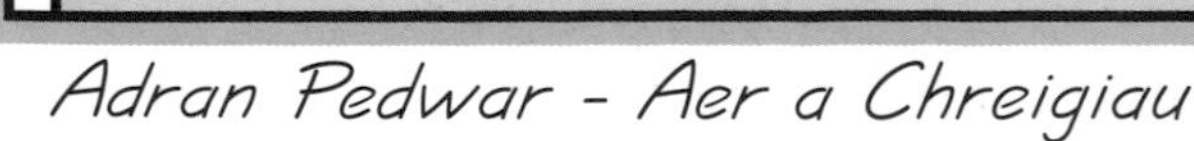

Y Tri Math Gwahanol o Graig

Ddylai creigiau ddim eich drysu o gwbwl. Mae tri math gwahanol: gwaddod, metamorffig ac igneaidd. Mae'n cymryd miliynau o flynyddoedd iddyn nhw'n newid o un i'r llall. Fyddwch chi ddim yn synnu mai'r enw am hyn yw Y Gylchred Greigiau.

Y Gylchred Greigiau

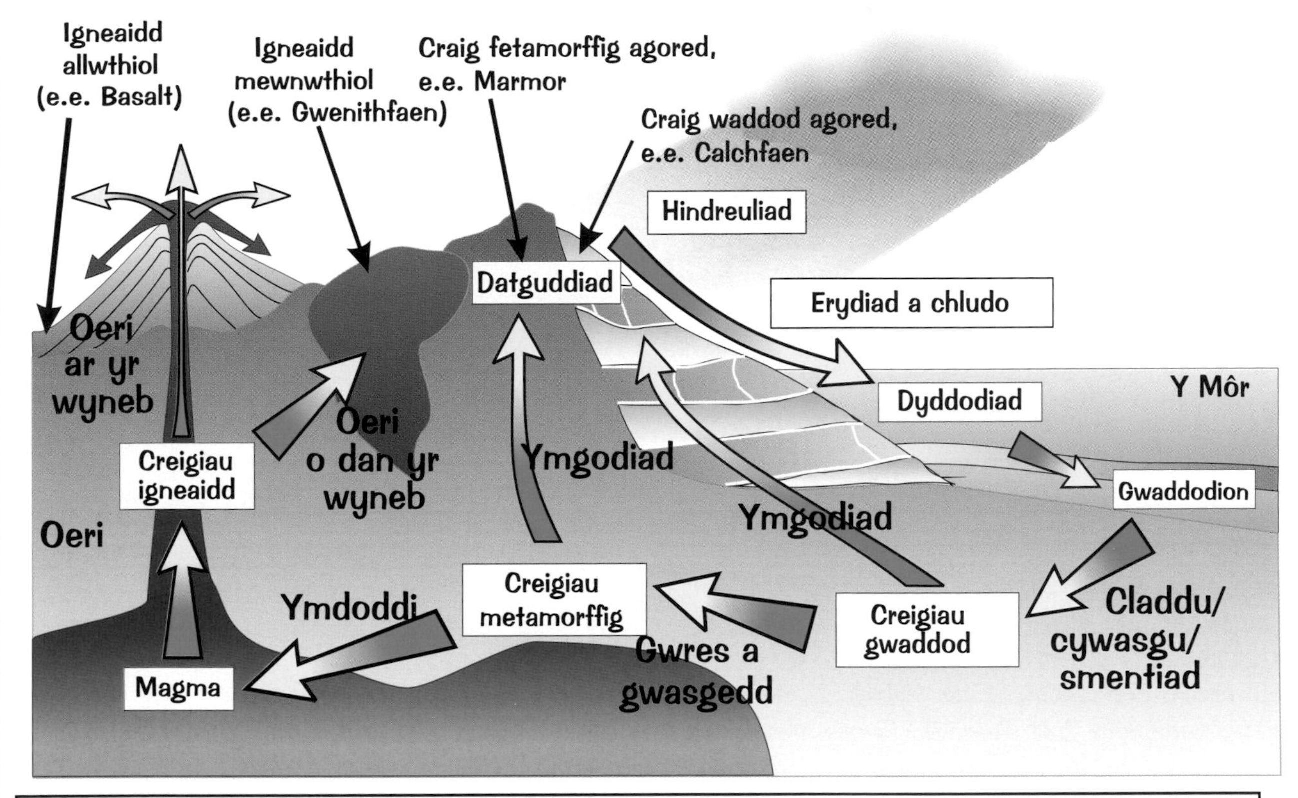

Mae'r creigiau'n Newid o un i'r llall mewn Cylchred Araf

1) Mae gronynnau'n cael eu golchi i'r môr; yno, maen nhw'n setlo ar ffurf gwaddodion.
2) Dros filiynau o flynyddoedd caiff y gwaddodion hyn eu gwasgu nes creu CREIGIAU GWADDOD (sy'n egluro'r enw).
3) I ddechrau, cânt eu claddu, yna byddan nhw naill ai yn codi i'r wyneb eto i gael eu darganfod, neu'n disgyn i'r gwres a'r gwasgedd islaw.
4) Os ydyn nhw'n disgyn, mae'r gwres a'r gwasgedd yn newid adeiledd y graig yn llwyr, i ffurfio CREIGIAU METAMORFFIG (yr un gair â "metamorffosis", sef "newid". Enw da arall!)
5) Gall y creigiau metamorffig hyn naill ai godi i'r wyneb i gael eu darganfod gan ddaearegwyr brwd, neu ddisgyn ymhellach fyth i'r tân a'r brwmstan ym mherfedd Daear, i ymdoddi a ffurfio magma.
6) Pan fydd magma yn cyrraedd yr wyneb, bydd yn oeri ac yn caledu i ffurfio CREIGIAU IGNEAIDD ("igneaidd" neu, yn Saesneg, "*ignite*", sef "tanio" – enw cŵl arall!)
7) Mae dau fath o greigiau igneaidd:
   1) ALLWTHIOL – pan fydd y magma'n dod yn syth allan o wyneb y tir drwy losgfynydd ("All-" sef "allan").
   2) MEWNWTHIOL – pan fydd y magma'n setio'n dalp mawr o dan yr wyneb ("Mewn-" sef "y tu mewn"). (Mae'n rhaid dweud bod pwy bynnag ddyfeisiodd yr enwau hyn yn haeddu medal!)
8) Pan fydd unrhyw rai o'r creigiau hyn yn cyrraedd yr wyneb, bydd hindreuliad yn dechrau. Yn raddol, bydd y creigiau'n treulio, yna'n cael eu cludo i'r môr, a'r gylchred gyfan yn dechrau unwaith eto...dyna chi syml!

Mae dirgelwch mewn ambell ogof – ond ddim yn y creigiau...

Ydych chi ddim yn credu bod y Gylchred Greigiau i gyd yn hollol wych? Beth well na mynd ar wyliau gyda'r teulu i Benrhyn Gŵyr i syllu ar ryfeddod y gwahanol greigiau? Yn hollol. (A hyd yn oed os gwnewch chi hynny, mae dysgu am greigiau'n dal yn syniad da).

Creigiau Gwaddod

Ffurfio Creigiau Gwaddod – tri cham:

1) Mae creigiau gwaddod yn cael eu ffurfio o haenau o waddodion sy'n cael eu dyddodi mewn llynnoedd a moroedd.
2) Dros filiynau o flynyddoedd caiff yr haenau eu claddu o dan fwy fyth o haenau. Mae'r pwysau sydd arnyn nhw yn gwasgu'r dŵr allan.
3) Mae hylifau sy'n llifo trwy'r mandyllau yn dyddodi 'sment' mwynol naturiol.

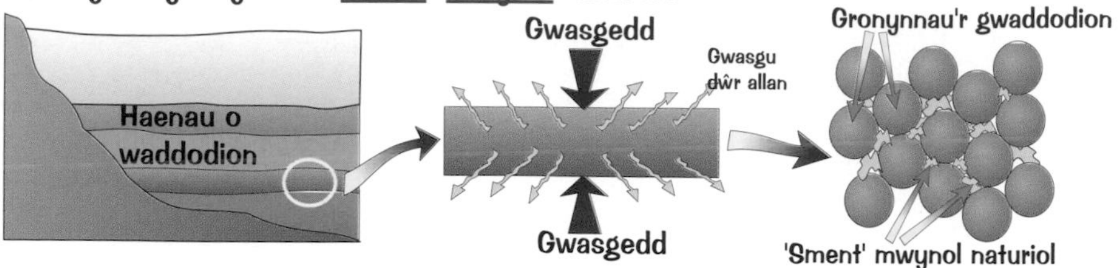

Fel rheol, y Creigiau Dyfnaf yw'r Creigiau Hynaf

1) Oherwydd trefn eu gosod i lawr, y creigiau dyfnaf yw'r creigiau hynaf fel rheol.
2) Os bydd gennych un grŵp o greigiau mewn patrwm o haenau trefnus, gyda chraig arall yn torri ar eu traws, mae'n rhaid bod y graig sy'n torri ar draws wedi cael ei gosod i lawr ar ôl yr haenau eraill – felly bydd y graig honno'n ifancach.

Mewn Creigiau Gwaddod yn bennaf mae dod o hyd i Ffosiliau

1) Dim ond creigiau gwaddod a rhai creigiau metamorffig (megis marmor) a arferai fod yn waddoddion sy'n cynnwys ffosiliau. Mae gwres a gwasgedd metamorffeg yn dinistrio ffosiliau yn y pen draw.
2) Cael eu gwasgu yn dyner am ychydig filiynau o flynyddoedd mae creigiau gwaddod, felly mae'r ffosiliau'n aros heb niwed. Mae pob craig waddod yn debygol o gynnwys ffosiliau.
3) Mae ffosiliau'n ffordd ddefnyddiol o adnabod creigiau o'r un oed.
4) Y rheswm am hyn yw bod gweddillion wedi'u ffosileiddio yn newid (oherwydd esblygiad) dros gyfnod o oesoedd.
5) Felly, os bydd yr un ffosiliau mewn dwy graig, rhaid eu bod o'r un oes.
6) Ond cofiwch – os bydd ffosiliau gwahanol mewn dwy graig, dydy hynny'n profi dim!

Creigiau Gwaddod: Pedwar Prif Math

Mae creigiau gwaddod yn tueddu i edrych yn debyg i'r gwaddodion gwreiddiol wnaeth eu ffurfio. Wedi'r cyfan, does dim llawer wedi digwydd iddyn nhw – ar wahân i gael eu gwasgu at ei gilydd.

1) Tywodfaen

Tywod wnaeth ffurfio'r graig hon, wrth gwrs. A dyna sut mae'n edrych hefyd. Mae tywodfaen yn edrych yn union fel gronynnau tywod wedi glynu'n dynn iawn wrth ei gilydd. Mae tywodfaen coch a thywodfaen melyn yn cael eu defnyddio'n aml i adeiladu. Tywodfaen coch yw Castell Rhuthun, a thywodfaen melyn yw'r Hen Goleg yn Aberystwyth.

2) Calchfaen

Cregyn Môr wnaeth ffurfio calchfaen. Calsiwm carbonad yw'n bennaf, ac mae ei liw yn llwyd/wyn. Mae'r rhan fwyaf o'r cregyn gwreiddiol wedi'u malu ond, yn aml, mae cregyn wedi'u ffosileiddio mewn calchfaen hefyd.

3) Carreg laid neu Siâl

Llaid wnaeth ffurfio'r graig hon, sy'n golygu gronynnau mwy mân na gronynnau tywod.
Mae'r graig yn llwyd tywyll yn aml, ac mae'n tueddu i hollti i'w haeanau gwreiddiol yn rhwydd.

4) Clymfeini

Mae'r creigiau hyn yn union fel concrit crai sy'n cynnwys cerrigos wedi'u gosod mewn sment o ronynnau mwy mân.

Pwysau Adolygu – peidiwch â gadael i'r cyfan wasgu arnoch chi...

Tipyn o ffeithiau yma am greigiau gwaddod. Rhaid i chi ddysgu sut maen nhw'n cael eu ffurfio, sut i ddweud pa greigiau yw'r rhai hynaf, eu bod yn cynnwys ffosiliau, a hefyd enwau, ac ati, y pedair enghraifft. Yn bwysicach fyth, rhaid i chi allu disgrifio mewn geiriau sut olwg sydd ar bob un. Hyd yn oed os nad ydych yn gwybod mewn gwirionedd, dysgwch y disgrifiadau!

Creigiau Metamorffig

Gwres a Gwasgedd dros Filoedd o Flynyddoedd:

Mae creigiau metamorffig yn cael eu ffurfio gan effaith gwres a gwasgedd dros gyfnod hir ar greigiau (gwaddod) sydd eisoes mewn bod. Gwyddom fod y creigiau yn fersiynau newydd o greigiau eraill oherwydd bod ganddyn nhw'r un cyfansoddiad cemegol.

1) Gall symudiadau'r Ddaear wthio pob math o greigiau yn ddwfn o dan y ddaear.
2) Yma, maen nhw'n cael eu cywasgu a'u gwresogi. Hefyd, gall adeiledd mwynol a gwead y creigiau newid.
3) Mae'r creigiau'n cael eu dosbarthu'n rhai metamorffig os na fyddan nhw'n ymdoddi.
4) Os byddan nhw'n ymdoddi a throi'n magma, dyna ddiwedd arnyn nhw. Gall y magma ddod i'r wyneb eto ar ffurf craig igneaidd.

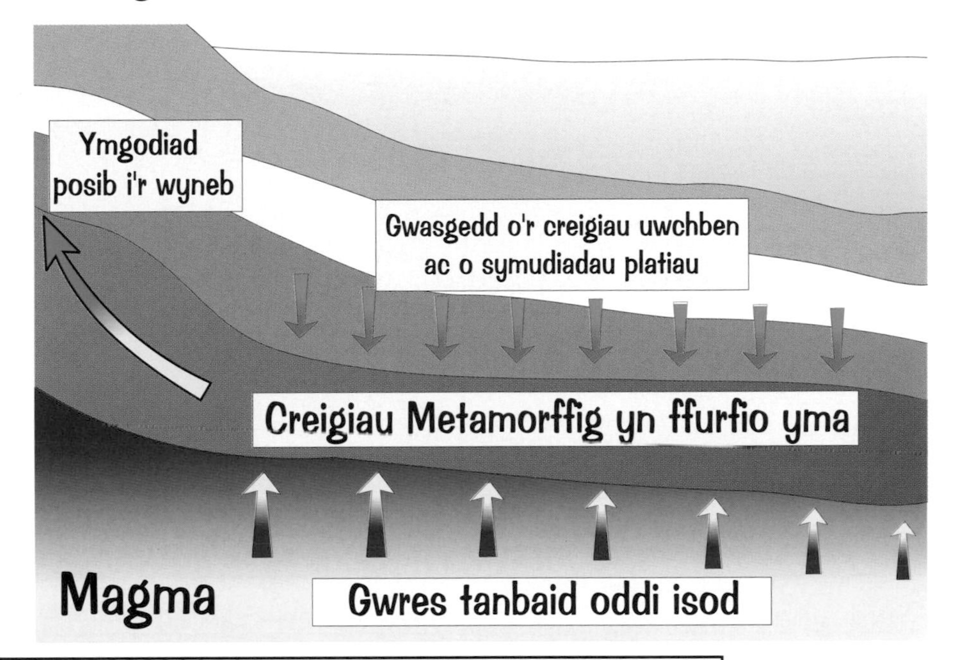

Creigiau Metamorffig yw Llechen, Marmor a Sgist

1) Carreg laid neu glai sy'n ffurfio llechen

1) Mae gwresogi a chywasgu carreg laid yn gwneud i'r gronynnau bychain (sydd ar ffurf tebyg i blatiau) alinio i'r un cyfeiriad.
2) Mae hyn yn caniatáu i'r llechen sy'n ffurfio gael ei hollti ar hyd y cyfeiriad hwnnw yn llenni tenau sy'n gwneud defnydd delfrydol ar gyfer to ar adeilad.
3) To llechi sydd ar nifer fawr o dai Gwynedd.

2) Calchfaen sy'n ffurfio marmor

1) Mae tymheredd uchel iawn yn dadelfennu'r cregyn mewn calchfaen ac maen nhw'n ailffurfio yn grisialau bychain.
2) Mae hyn yn rhoi i farmor wead llyfnach, a'i wneud dipyn yn galetach.
3) Mae modd llathru marmor ac, yn aml, mae patrymau deniadol ynddo.
4) Felly, mae marmor yn garreg addurniadol dda. Mae gan Anti Beti garreg bedd farmor hyfryd.

3) Carreg laid wedi poethi'n aruthrol sy'n ffurfio Sgist

1) Dim ond pan fydd digon o wasgedd ond dim gormod o wres y bydd carreg laid yn ffurfio llechen.
2) Os bydd carreg laid yn poethi'n aruthrol, bydd mwynau newydd megis mica yn ffurfio ac yn creu haenau.
3) Dyma sy'n creu Sgist – craig sy'n cynnwys bandiau o grisialau yn cydgloi.
4) Mae'r haenau hyn o grisialau yn nodweddiadol o greigiau metamorffig.
5) Dim ond gwres a gwasgedd cyson fydd yn achosi hyn i ddigwydd.

Sg- Ust! – mae eisiau tawelwch pan fydd y gwres a'r gwasgedd yn cynyddu...

Mae llawer iawn o enwau i'w dysgu 'nawr. Rywfodd, rhaid i chi eu trefnu yn eich pen i wneud synnwyr ohonyn nhw i gyd. Mae'n help mawr os ydych yn gwybod y ffeithiau am ymddangosiad y creigiau hyn. Y peth gorau yw meddwl am bethau pendant sydd wedi'u gwneud o greigiau arbennig. Neu gall y cyfan fynd yn ormod i chi.

Creigiau Igneaidd

Magma Ffres sy'n ffurfio Creigiau Igneaidd

1) Bydd creigiau igneaidd yn cael eu ffurfio pan fydd magma tawdd yn gwthio i fyny i mewn i gramen y ddaear, neu'r holl ffordd drwyddi.

2) Mae creigiau igneaidd yn cynnwys amryw o fwynau gwahanol mewn grisialau rhyng-gloëdig wedi eu trefnu ar hap.

3) Mae dau fath o greigiau igneaidd: **ALLWTHIOL** a **MEWNWTHIOL**:

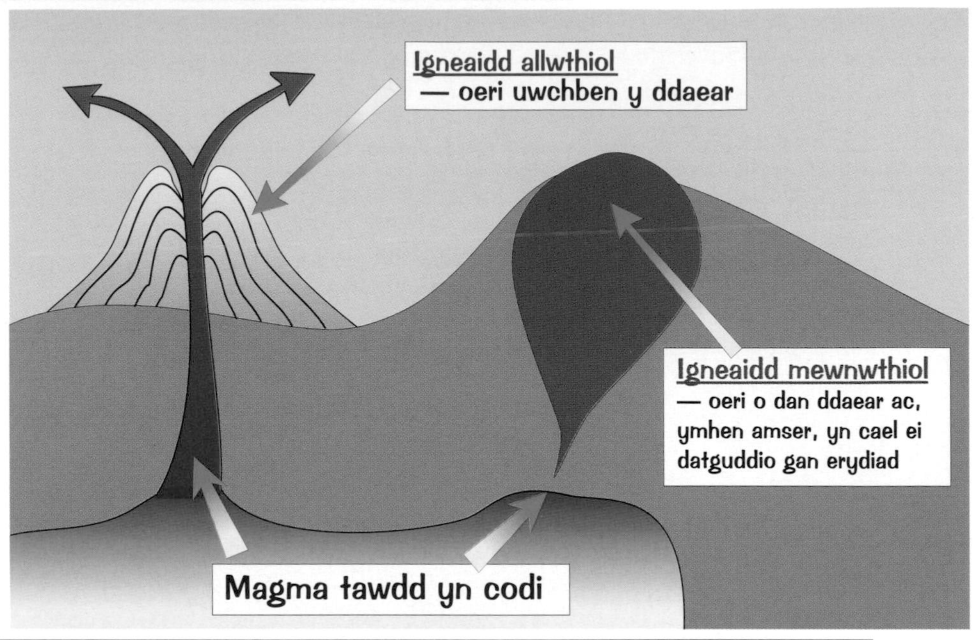

Mae creigiau igneaidd MEWNWTHIOL yn oeri'n ARAF gyda grisialau MAWR

Craig igneaidd fewnwthiol â grisialau mawr yw GWENITHFAEN

1) Mae gwenithfaen yn ffurfio o dan ddaear lle mae'r magma'n oeri'n araf.
2) Mae hyn yn golygu bod gan wenithfaen risialau mawr wedi'u trefnu ar hap oherwydd ei fod wedi oeri'n araf.
3) Carreg galed iawn ac addurniadol yw gwenithfaen, sy'n ddelfrydol ar gyfer grisiau ac adeiladau.
4) Gwenithfaen yw'r graig sy'n ffurfio Mynydd yr Eifl ym Mhen Llŷn.

Mae creigiau igneaidd ALLWTHIOL yn oeri'n GYFLYM gyda grisialau BYCHAIN

Craig igneaidd allwthiol â grisialau bach yw BASALT

1) Mae basalt yn ffurfio ar ben cramen y Ddaear ar ôl ffrwydro allan o losgfynydd.
2) Mae hyn yn golygu bod gan fasalt risialau cymharol fychan - oherwydd ei fod wedi oeri'n gyflym.

Adnabod Creigiau mewn Cwestiwn Arholiad

Bydd cwestiwn nodweddiadol yn disgrifio craig, a'ch gwaith chi fydd ei hadnabod. Gwnewch yn siŵr eich bod yn dysgu'r wybodaeth am greigiau i gyd yn ddigon da i chi adnabod y math o graig o'r disgrifiad. Dyma dipyn o ymarfer i chi:

Craig A: Grisialau bychain mewn haenau.
Craig B: Yn cynnwys ffosiliau.
Craig C: Grisialau amrywiol wedi'u trefnu ar hap.
Craig Ch: Caled, llyfn ac yn cynnwys haenau tonnog o risialau.
Craig D: Grisialau mawr. Yn gwrthsefyll traul yn dda iawn.
Craig Dd: Gwead tywodlyd. Gweddol feddal.

Atebion

A: metamorffig
B: gwaddod
C: igneaidd
Ch: metamorffig
D: igneaidd (gwenithfaen)
Dd: gwaddod (tywodfaen)

Mae Creigiau Igneaidd yn cŵl – neu'n fagma...

Mae'n bwysig iawn eich bod yn adnabod gwenithfaen, dim ond o'i weld. Dylech fynnu bod yr ysgol yn trefnu taith faes i weld arfordir enwog Llydaw – arfordir gwenithfaen PINC!! Pythefnos wnai'r tro. Ym mis Mai. Ond os bydd yr ysgol yn gwrthod yna arhoswch yng Nghymru fach a dysgwch y dudalen hon – am 10 munud.

Ffiniau Platiau

Fel arfer, ar y ffiniau rhwng platiau tectonig mae yna ryw fath o drafferth megis llosgfynyddoedd neu ddaeargrynfeydd. Mae'r platiau'n rhyngweithio mewn 3 gwahanol ffordd: gwrthdaro, gwahanu neu lithro heibio'i gilydd.

Gwrthdaro rhwng Platiau Cefnforol a Phlatiau Cyfandirol : Yr Andes

1) Bydd y plât cefnforol bob amser yn cael ei wthio o dan y plât cyfandirol.
2) Dyma'r rhanbarth tansugno.
3) Wrth i'r plât cefnforol gael ei wthio i lawr mae rhannau ohono'n ymdoddi. Mae'r magma'n llai dwys na'r graig o gwmpas felly mae'n codi.
4) Bydd ychydig o'r graig dawdd yn dod i'r wyneb gan ffurfio llosgfynyddoedd, bydd ychydig yn oeri dan ddaear.
5) Wrth i'r ddau blât grafu heibio'i gilydd, bydd daeargrynfeydd yn digwydd hefyd.

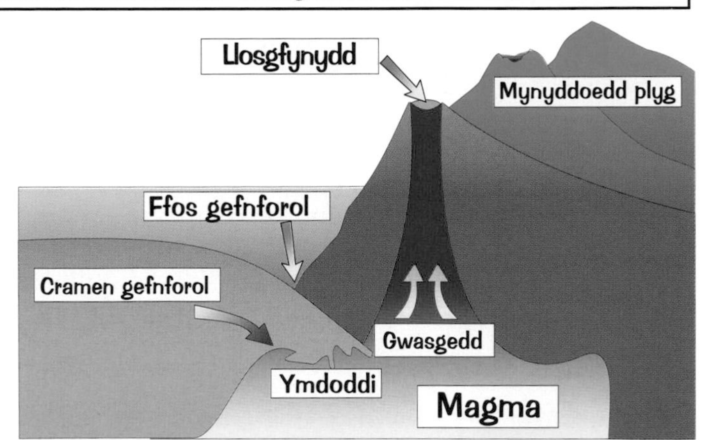

6) Ar wely'r môr, bydd ffos ddofn yn ffurfio yn y man lle mae'r plât cefnforol yn cael ei wthio i lawr.
7) Mae'r gramen gyfandirol yn plygu a rhychu i ffurfio mynyddoedd ar yr arfordir.
8) Enghraifft dda o hyn yw arfordir gorllewinol De America, lle mae mynyddoedd yr Andes. Yno, mae'r pedair nodwedd yn amlwg:

Llosgfynyddoedd, daeargrynfeydd, ffos gefnforol a mynyddoedd.

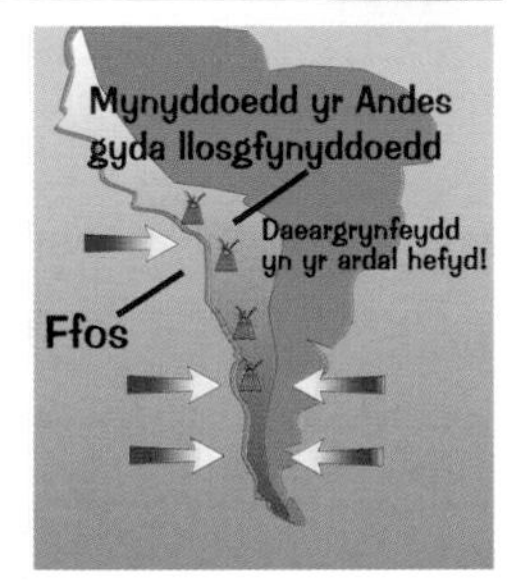

Gwrthdaro rhwng Dau Blât Cyfandirol: Yr Himalayas

1) Mae'r ddau blât cyfandirol yn cwrdd mewn gwrthdrawiad penben, a does dim tansugno yn digwydd i'r un o'r ddau.
2) Bydd unrhyw haenau o waddodion sydd rhwng y ddau gyfandir yn cael eu gwasgu rhyngddynt.
3) Ymhen hir a hwyr, bydd yr haenau hyn o waddodion yn sicr o ddechrau plygu a rhychu i ffurfio mynyddoedd mawr.
4) Enghraifft dda o hyn yw mynyddoedd yr Himalayas.

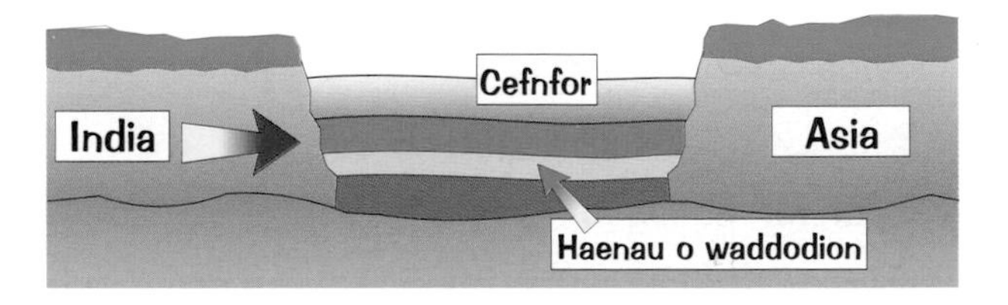

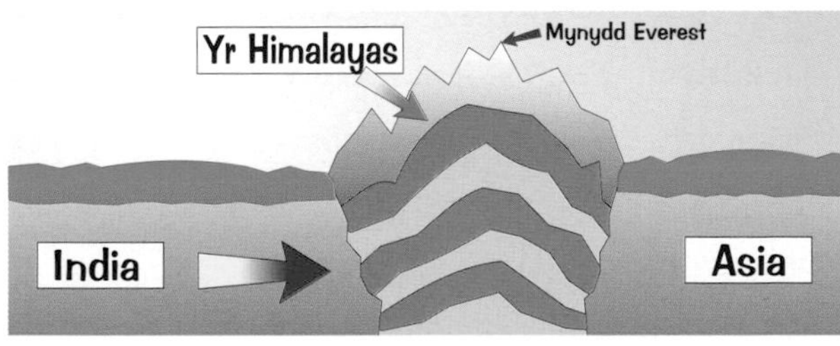

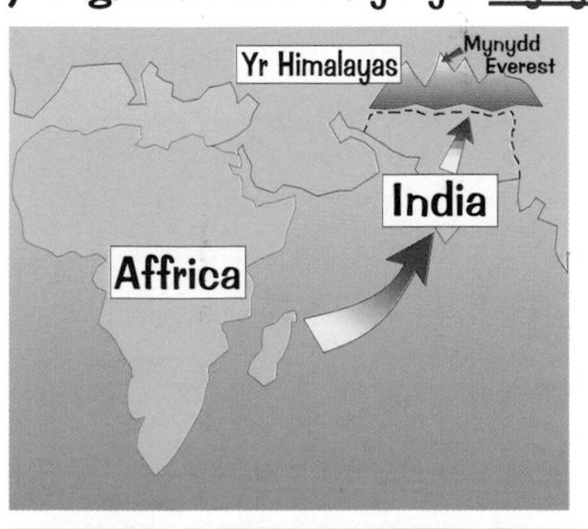

5) Torri oddi ar ochr Affrica wnaeth Yr India, a gwthio'i ffordd ymlaen at waelod Asia, lle mae'n dal i fod, yn gwthio'r Himalayas i fyny wrth fynd.
6) Yno mae Mynydd Everest, sy'n tyfu ychydig cm bob blwyddyn wrth i India ddal i wthio ymlaen i gyfandir Asia.

Peidiwch â gwneud môr a mynydd o ddysgu tudalen arall...

Gwnewch yn siŵr eich bod yn dysgu'r diagramau hyn i gyd – maen nhw'n crynhoi'r holl wybodaeth sydd ar y dudalen. Yn yr Arholiad, mae'n eithaf posib y bydd cwestiwn yn gofyn am enghreifftiau, felly gwnewch yn siŵr eich bod yn deall y gwahaniaeth rhwng y sefyllfa yn yr Andes a'r Himalayas. Cuddiwch ac ysgrifennwch...

Crynodeb Adolygu Adran Pedwar

Rwy'n credu mai dyma'r rhan hawdd o'r maes llafur Cemeg. Fyddech chi'n cytuno? Yn yr Hen Ddyddiau (yr 1970au) roedd yn rhan o'r pwnc Daearyddiaeth, sydd, fel y gwyddoch, dipyn haws na Chemeg. Ond, hawdd neu beidio, mae'n dal yn eitha' swm o waith i'w ddysgu'n drylwyr. Dyma rai cwestiynau i'ch cadw i fynd - ac i weld faint sydd wedi aros yn eich cof:

1) Beth yw canrannau'r nwyon yn yr atmosffer heddiw?
2) Disgrifiwch arbrawf syml i ddarganfod canran yr ocsigen yn yr aer.
3) Pa mor hen yw'r Ddaear? Sut le oedd yma am oddeutu y biliwn mlynedd cyntaf?
4) Pa nwyon oedd yn yr atmosffer cynnar? O ble daeth y nwyon hyn?
5) Beth oedd y prif beth wnaeth achosi ail gyfnod esblygiad yr atmosffer?
6) Pa nwyon aeth yn llawer llai cyffredin a pha nwy wnaeth gynyddu?
7) Pa nwy wnaeth ganiatáu i gyfnod tri ddigwydd? Pa nwy sydd bron â diflannu?
8) Eglurwch sut mae'r cefnforoedd yn cynnwys carbon.
9) Beth yw'r tair problem atmosfferig sydd wedi eu creu gan bobl?
10) Pa nwyon sy'n achosi glaw asid? O ble mae'r nwyon hyn yn dod? Beth yw tair effaith ddrwg glaw asid?
11) Pa nwy sy'n achosi'r Effaith Tŷ Gwydr? Eglurwch yr Effaith Tŷ Gwydr.
12) Pa nwy sy'n niweidio'r haen oson? Beth yw effeithiau drwg hyn?
13) Beth yw "y gylchred garbon"?
14) Gwnewch ddiagram o'r Gylchred Garbon oddi ar eich cof.
15) Beth yw'r tri math o hindreuliad? Eglurwch y manylion ar gyfer pob math, gyda diagramau.
16) Beth yn hollol yw "erydiad"? Pa broses yw "cludo"?
17) Pa rai o'r prosesau hyn wnaeth greu y Grand Canyon neu unrhyw ddyffryn afon arall?
18) Gwnewch ddiagram prydferth o'r gylchred ddŵr. Eglurwch sut mae'r holl broses yn digwydd.
19) Beth yw'r tri math o graig? Gwnewch ddiagram cyflawn o'r gylchred greigiau.
20) Eglurwch sut mae'r tri math o graig yn newid o un i'r llall. Faint o amser mae hyn yn ei gymryd?
21) Gwnewch ddiagramau i ddangos sut mae creigiau gwaddod yn cael eu ffurfio.
22) Beth sydd mewn creigiau gwaddod sydd ddim mewn unrhyw fath arall o graig?
23) Rhestrwch y pedair prif graig waddod, disgrifiwch bob un, a nodwch ddibenion dwy ohonyn nhw.
24) Gwnewch ddiagram i ddangos sut mae creigiau metamorffig yn cael eu ffurfio. Beth yw ystyr yr enw?
25) Beth yw'r tair prif graig fetamorffig? Disgrifiwch ymddangosiad pob un a nodwch ddibenion dwy ohonyn nhw.
26) Sut mae creigiau igneaidd yn cael eu ffurfio? Beth yw'r ddau fath? Rhowch enghraifft o'r ddau.
27) Beth yw'r gwahaniaeth yn y modd y cawsant eu ffurfio, ac yn eu hadeiledd a'u hymddangosiad?
28) Nodwch y tair ffordd mae platiau tectonig yn rhyngweithio ar eu ffiniau.
29) Beth sy'n digwydd pan fydd plât cefnforol a phlât cyfandirol yn gwrthdaro? Gwnewch ddiagram.
30) Beth yw'r pedair nodwedd sy'n cael eu cynhyrchu gan y gwrthdrawiad? Pa ran o'r byd sy'n enghraifft dda o hyn?
31) Beth sy'n digwydd pan fydd dau blât cyfandirol yn gwrthdaro? Gwnewch ddiagramau.
32) Beth yw'r nodweddion sy'n cael eu cynhyrchu o ganlyniad? Pa ran o'r byd sy'n enghraifft dda o hyn?

Hanes y Tabl Cyfnodol yn Fyr

Roedd y Cemegwyr cynnar yn awyddus i ddarganfod patrymau yn yr elfennau.
Wrth reswm, po fwyaf o elfennau roedden nhw'n eu hadnabod, yr hawsaf oedd darganfod patrymau.

Yn yr 1800au Cynnar dim ond Màs Atomig oedden nhw'n gallu ei ddefnyddio

Roedd ganddyn nhw ddwy ffordd amlwg o ddosbarthu elfennau:

1) Eu priodweddau ffisegol a chemegol   2) Eu Màs Atomig Cymharol

1) Cofiwch nad oedd ganddyn nhw syniad am adeiledd atomig na phrotonau ac electronau, felly doedd rhif atomig ddim yn bod. (Doedd dim modd sylweddoli bod angen trefnu elfennau yn ôl eu rhif atomig tan yr 20fed ganrif, ar ôl darganfod protonau ac electronau).
2) Yr unig beth y gallai'r cemegwyr cynnar ei fesur oedd Màs Atomig Cymharol, a'r unig ffordd amlwg o drefnu'r elfennau hysbys oedd yn ôl trefn y màs atomig.
3) Wedi gwneud hyn, sylwyd bod priodweddau'r elfennau yn ffurfio patrwm cyfnodol.

Wythfedau Newlands oedd yr Ymdrech Dda Gyntaf

Gwnaeth dyn o'r enw Newlands ymdrech dda i drefnu'r elfennau yn 1863. Sylwodd fod gan bob wythfed elfen briodweddau tebyg, felly trefnodd rai o'r elfennau hysbys yn rhesi o saith:

Li	Be	B	C	N	O	F
Na	Mg	Al	Si	P	S	Cl

Cafodd y setiau hyn o wyth elfen eu galw yn Wythfedau Newlands ond, yn anffodus, dyma'r patrwm yn mynd ar goll yn y drydedd rhes gan nad oedd y metelau trosiannol megis Fe, Cu a Zn yn ffitio.
Thalodd neb sylw i'w waith oherwydd bod Newlands heb adael bylchau.
Ond roedd yn agos iawn ati, fel y gallwch weld.

Gadawodd Dmitri Mendeleyev Fylchau, gan Ragweld Elfennau Newydd

1) Yn 1869, yn Rwsia, roedd Dmitri Mendeleyev yn gwybod am 50 o elfennau, a dyma fe'n eu trefnu mewn Tabl Elfennau, gan adael bylchau, fel y gwelwch.
2) Fel Newlands, roedd Mendeleyev yn trefnu'r elfennau yn ôl y màs atomig.
3) Ond sylwodd Mendeleyev fod yn rhaid gadael bylchau er mwyn cadw elfennau â phriodweddau tebyg yn yr un grwpiau fertigol – ac roedd yn barod i adael bylchau mawr iawn yn y ddwy res gyntaf cyn i'r metelau trosiannol ddod i mewn yn y drydedd rhes.

Y bylchau oedd y rhan glyfar oherwydd eu bod yn rhagweld priodweddau elfennau oedd heb eu darganfod ar y pryd.

Wrth i'r elfennau gael eu darganfod a ffitio'r patrwm, roedd yn newyddion da iawn i Dmitri – y gwalch!

Tabl Elfennau Mendeleyev

H																	
Li	Be											B	C	N	O	F	
Na	Mg											Al	Si	P	S	Cl	
K	Ca	*	Ti	V	Cr	Mn	Fe	Co	Ni	Cu	Zn	*	*	As	Se	Br	
Rb	Sr	Y	Zr	Nb	Mo	*	Ru	Rh	Pd	Ag	Cd	In	Sn	Sb	Te	I	
Cs	Ba	*	*	Ta	W	*	Os	Ir	Pt	Au	Hg	Tl	Pb	Bi			

Beth yw'r holl ffws a ffwdan? Mae'r cyfan i'w weld yn elfennol...

Mae'n dipyn o ffasiwn ar hyn o bryd i gynnwys tipyn o Hanes ynghanol Gwyddoniaeth. Maen nhw am i chi werthfawrogi lle gwyddoniaeth mewn datblygiadau cymdeithasol. Yn bersonol, y cyfan rydw i am wybod yw: Ydych chi wedi dysgu'r ffeithiau i gyd eto? Os nad ydych chi – PAM?

Y Tabl Cyfnodol

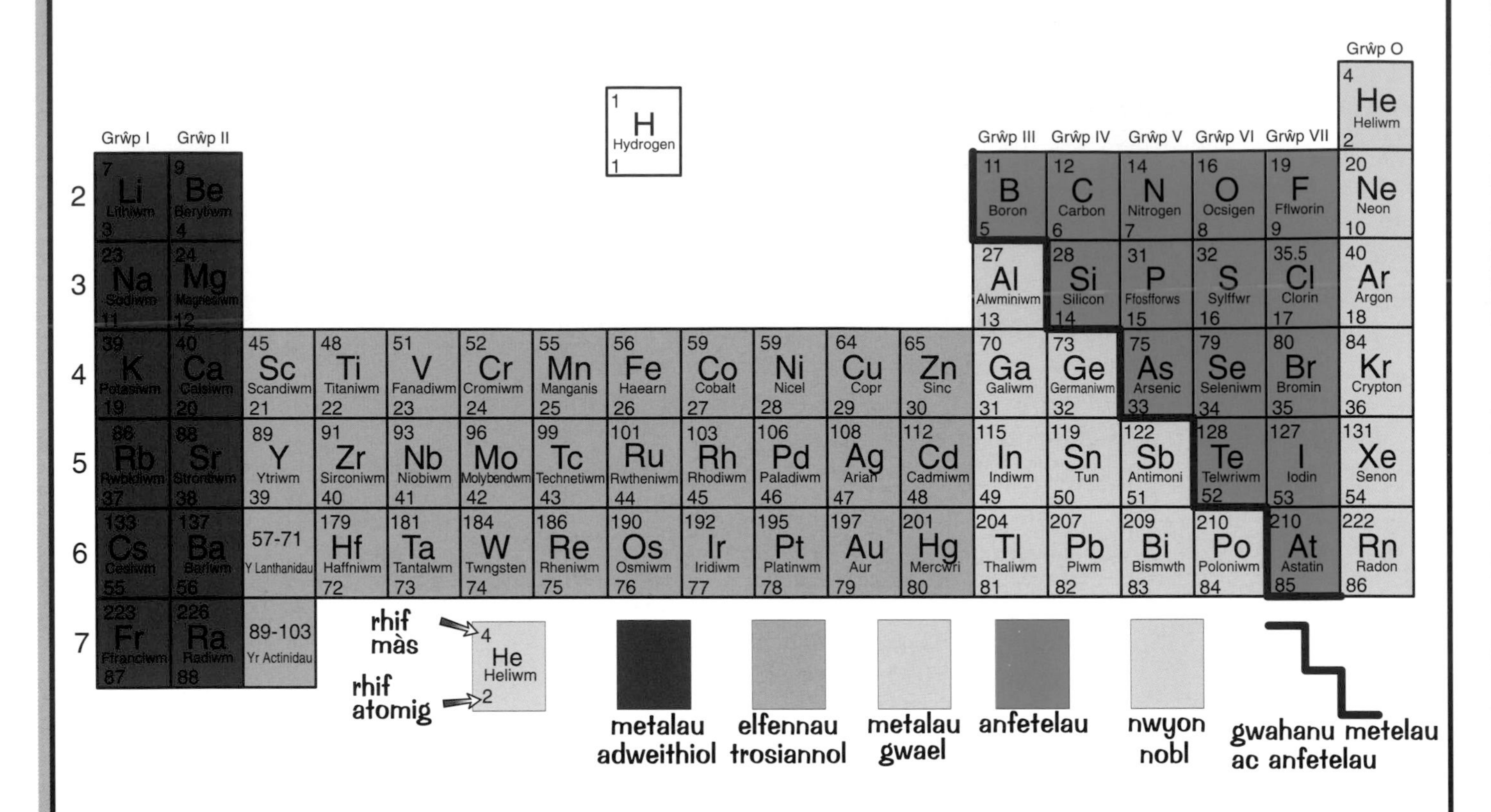

Mae'r Tabl Cyfnodol yn Wych!

1) Mae tua 100 o elfennau, ac mae holl ddefnyddiau'r byd wedi'u gwneud o'r elfennau hyn. Mae mwy o elfennau yn cael eu darganfod o hyd.
2) Mae'r Tabl Cyfnodol modern yn dangos yr elfennau yn ôl trefn eu rhif atomig.
3) Mae'r Tabl Cyfnodol wedi'i osod fel bo'r elfennau sydd â phriodweddau tebyg yn ffurfio colofnau.
4) Mae'r colofnau fertigol hyn yn cael eu galw yn Grwpiau, a bydd Rhifau Rhufeinig yn cael eu defnyddio'n aml i'w nodi.
5) Er enghraifft, elfennau Grŵp II yw Be, Mg, Ca, Sr, Ba ac Ra.
Metelau sy'n ffurfio ïonau 2+ ydyn nhw i gyd, ac mae ganddyn nhw briodweddau tebyg eraill hefyd.
6) Cyfnodau yw'r enw am y rhesi.
7) Mae pob cyfnod newydd yn cynrychioli plisgyn llawn arall o electronau.

Mae gan yr Elfennau i gyd mewn Grŵp Yr Un Nifer o Electronau Allanol

1) Mae gan yr elfennau i gyd ym mhob grŵp yr un nifer o electronau yn eu plisgyn allanol.
2) Dyna pam mae eu priodweddau yn debyg. A dyna pam rydyn ni'n eu trefnu fel hyn.
3) Mae'n rhaid i chi gofio'r ffaith hon os yw deall Cemeg yn bwysig i chi.
4) Nifer yr electronau sy'n penderfynu priodweddau elfennau yn gyfan gwbl.
5) Felly, mae rhif atomig atom yn bwysig iawn, am ei fod yn hafal i nifer yr electronau yn yr atom.
6) Ond peidiwch ag anghofio, nifer yr electronau yn y plisgyn allanol sy'n hollbwysig.

Plisg Electronau – ble fyddem ni hebddyn nhw...

Gwnewch yn hollol siŵr eich bod yn dysgu'r tabl cyfnodol i gyd – pob enw, rhif a symbol. Na – dim ond jôc yw hyn'na. Dysgwch y pwyntiau, ac ysgrifennwch y cyfan ar ffurf traethawd byr.

Trefniannau Electronau

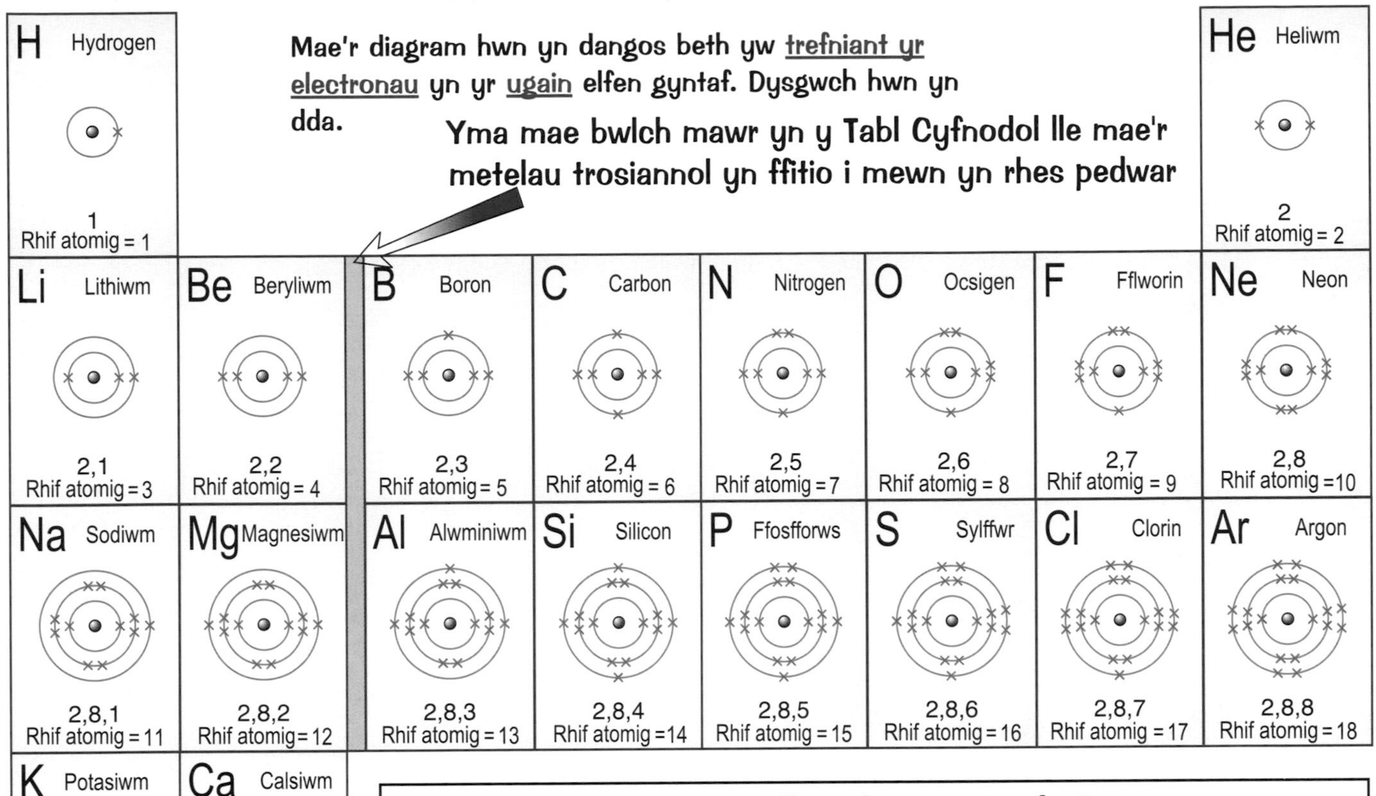

Nifer yr Electronau Allanol yw'r Peth Pwysig

1) Wrth i Atomau fynd yn fwy, mae ganddyn nhw fwy o blisg llawn o electronau.
2) Wrth i chi fynd i lawr unrhyw un o'r Grwpiau, mae gan bob rhes newydd un plisgyn llawn yn fwy.
3) Ar gyfer yr holl elfennau mewn Grŵp, mae nifer yr electronau allanol yr un peth.

Mae Plisg Electronau yn Wirioneddol Wych

1) Y ffaith fod electronau'n ffurfio plisg o amgylch atomau yw'r rheswm pam mae Cemeg yn bod o gwbl.
2) Petai'r electronau'n hedfan o amgylch niwclews bob siâp, heb boeni o gwbl am blisg a'r holl stwff yna i gyd, yna fyddai dim adweithiau cemegol.
3) Dim byd o gwbl mewn gwirionedd – oherwydd fyddai dim byd yn digwydd.
4) Heb y plisg, fyddai atomau ddim eisiau ennill, colli na rhannu electronau i ffurfio trefniannau plisg llawn.
5) Felly, fyddai ganddyn nhw ddim diddordeb mewn ffurfio ïonau na bondiau cofalent. Fyddai dim byd yn eu poeni, a dim byd yn digwydd. Byddai'r atomau'n diogi o gwmpas y lle drwy'r dydd – fel pobl ifanc yn union!
6) Ond y syndod yw eu bod *yn* ffurfio plisg (petai nhw'n gwrthod, fydden ni ddim yma i synnu) ac yna mae trefniant electronau pob atom yn pennu ei holl ymddygiad cemegol.
7) Waw! Hynny yw, trefniannau electronau sy'n egluro pob peth yn y Bydysawd, fwy neu lai. Maen nhw'n wirioneddol wych.

Plisg Electronau – on'd ydyn nhw'n ffantastig...

Mewn gwirionedd, fe ddylech wybod digon am blisg electronau i allu gwneud y diagram uchod heb edrych arno. Wrth reswm, does dim angen i chi ddysgu pob atom ar wahân – dysgwch y patrwm. Yna cuddiwch y dudalen i gael gweld faint ydych chi'n ei wybod – drwy ysgrifennu.

Grŵp O – Y Nwyon Nobl

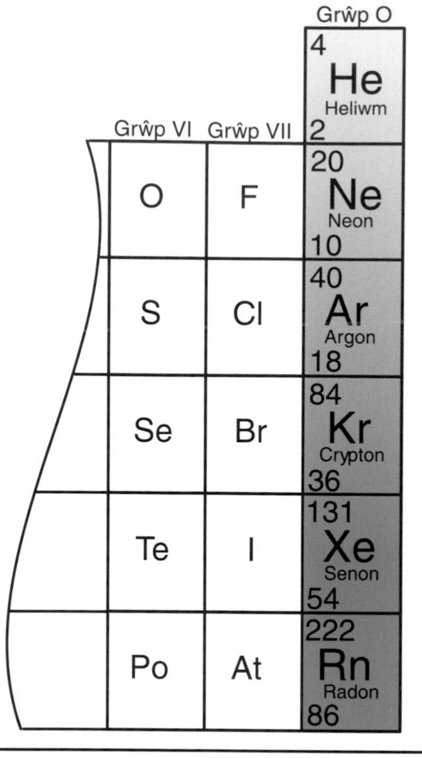

Wrth i chi fynd i lawr y Grŵp:

1) **Mae'r dwysedd yn cynyddu**
   oherwydd bod y màs atomig yn cynyddu.

2) **Mae'r berwbwynt yn cynyddu**
   Mae heliwm yn berwi ar dymheredd o –269°C (mae hynny'n oer!)
   Mae senon yn berwi ar dymheredd o –108°C (mae hynny'n dal yn oer).

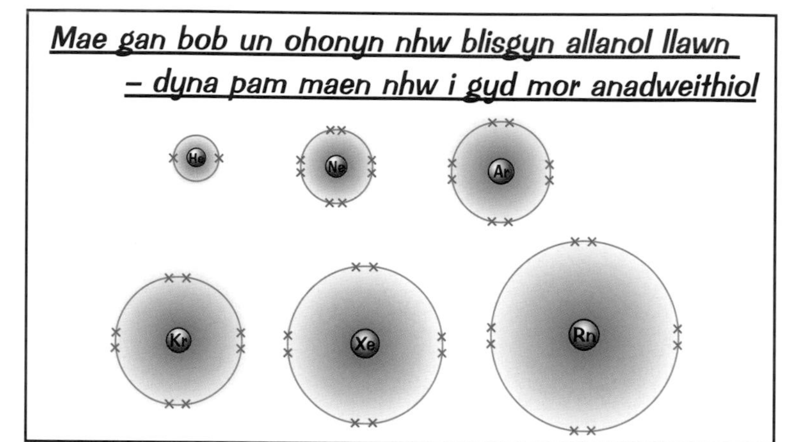

NWYON NOBL YW HELIWM, NEON AC ARGON

Efallai y cewch chi gwestiwn hefyd am Crypton, Senon a Radon. Weithiau, maen nhw'n cael eu galw yn nwyon Anadweithiol. Ystyr "anadweithiol" yw "ddim yn adweithio".

MAEN NHW I GYD YN NWYON MONATOMIG, DI-LIW

Dim ond fel atomau unigol mae'r nwyon hyn yn bodoli, am eu bod yn gwrthod ffurfio bondiau gydag unrhyw beth arall, yn wahanol i'r rhan fwyaf o nwyon, sydd wedi'u gwneud o foleciwlau.

DYDY'R NWYON NOBL DDIM YN ADWEITHIO O GWBL

Dydy Heliwm, Neon ac Argon ddim yn ffurfio unrhyw fath o fond cemegol gydag unrhyw beth. Maen nhw bob amser yn bodoli fel atomau ar wahân. Wnawn nhw ddim hyd yn oed uno mewn parau.

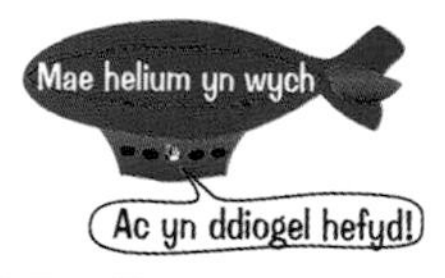

CAIFF HELIWM EI DDEFNYDDIO MEWN LLONGAU AWYR A BALŴNAU

Mae heliwm yn ddelfrydol: dwysedd isel iawn sydd ganddo, a fydd heliwm byth yn mynd ar dân (yn wahanol i hydrogen!)

CAIFF NEON EI DDEFNYDDIO MEWN TIWBIAU DADWEFRU TRYDANOL

Pan fydd cerrynt yn cael ei basio drwy neon, mae'n rhoi golau disglair.

CAIFF ARGON EI DDEFNYDDIO MEWN LAMPAU FFILAMENT (BYLBIAU GOLAU)

Mae'n rhoi atmosffer anadweithiol sy'n cadw'r ffilament poeth iawn rhag llosgi'n ddim.

CAIFF Y TRI EU DEFNYDDIO MEWN LASERAU HEFYD

Mae laser bach coch, enwog, i'w gael o'r enw laser Heliwm-Neon, ac un mwy pwerus o'r enw laser Argon. (Mae laserau Crypton i'w cael hefyd.)

Dydy nwyon nobl ddim yn adweithio – dim iws i Gemegwyr sydd am weithio...

Wel, dydyn nhw ddim yn adweithio, felly does dim llawer i'w ddysgu (gwenwch!) Wedi dweud hynny, efallai y cewch chi sawl cwestiwn am y nwyon hyn, felly dysgwch bopeth ar y dudalen hon.

Grŵp 1 – Y Metelau Alcaliaidd

Dysgwch y Tueddiadau Hyn:

Mae sawl newid yn y Metelau Alcaliaidd pan fyddwch yn mynd I LAWR Grŵp 1:

1) Atomau mwy

...oherwydd bod un plisgyn llawn ychwanegol o electronau ar gyfer pob rhes wrth i chi fynd i lawr.

2) Adweithedd uwch

...oherwydd ei bod yn haws colli'r electron allanol, am ei fod yn bellach oddi wrth y niwclews.

3) Dwysedd uwch

...oherwydd bod mwy o fàs gan yr atomau.

4) Meddalach fyth i'w torri

5) Ymdoddbwynt is

6) Berwbwynt is

Grŵp I	Grŵp II
7 Li Lithiwm 3	Be
23 Na Sodiwm 11	Mg
39 K Potasiwm 19	Ca
85.5 Rb Rwbidiwm 37	Sr
133 Cs Cesiwm 55	Ba
223 Fr Ffranciwm 87	Ra

Mae'r metelau Grŵp II hyn yn eithaf tebyg i Grŵp I, ond eu bod yn llai adweithiol, a bod dau electron yn eu plisgyn allanol, felly maen nhw'n ffurfio ïonau 2+.

1) Mae'r metelau Alcaliaidd yn Adweithiol iawn

Rhaid eu storio mewn olew a'u trin â gefel (oherwydd eu bod yn llosgi'r croen).

2) Y metelau Alcaliaidd yw: Lithiwm, Sodiwm, Potasiwm ac un neu ddau arall

Dysgwch y tri enw hyn yn dda. Efallai y bydd sôn ar y papur arholiad am ddau arall hefyd – Rwbidiwm, Cesiwm.

3) Mae gan y metelau Alcaliaidd i gyd UN electron allanol

Mae hyn yn eu gwneud yn adweithiol iawn, ac yn rhoi iddyn nhw briodweddau tebyg.

4) Mae'r metelau Alcaliaidd i gyd yn ffurfio ïonau 1+

Maen nhw i gyd yn barod i golli'r un electron allanol i ffurfio ïon 1+:

3+ → 3+ +1

5) Mae'r metelau Alcaliaidd bob amser yn ffurfio Cyfansoddion Ïonig

Maen nhw mor barod i golli'r un electron allanol byddai dim modd eu perswadio i rannu, gan wneud bondio cofalent yn amhosibl.
Mae'r cyfansoddion ïonig yn wyn ond, ar ôl hydoddi mewn dŵr, yn ddi-liw.

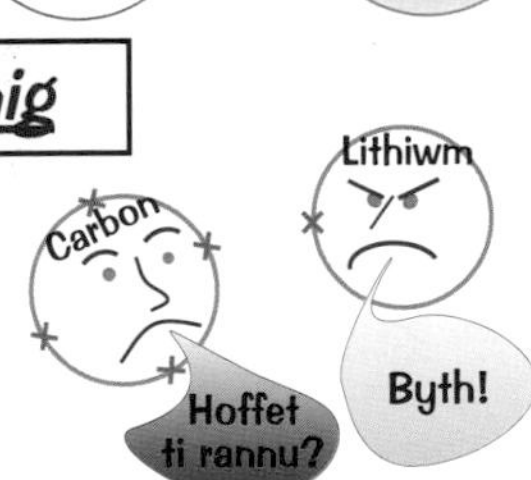

6) Mae'r metelau Alcaliaidd yn feddal – gall cyllell eu torri

Lithiwm yw'r caletaf, ond hyd yn oed wedyn gall cyllell llawfeddyg ei dorri. Newydd eu torri, maen nhw'n sgleiniog ond, wrth adweithio gydag aer, maen nhw'n pylu'n fuan.

7) Mae'r metelau Alcaliaidd yn ymdoddi ac yn berwi'n rhwydd (am fetelau)

Mae Lithiwm yn ymddoddi ar dymheredd o 180°C, Cesiwm ar dymheredd o 29°C.
Mae Lithiwm yn berwi ar dymheredd o 1330°C, Cesiwm ar dymheredd o 670°C.

8) Mae dwysedd isel gan y metelau Alcaliaidd (maen nhw'n arnofio)

Mae Lithiwm, Sodiwm a Photasiwm i gyd yn llai dwys na dŵr.

Dysgwch bopeth am y Metelau Alcaliaidd – mae'n bwnc llosg!

O diar, dyma ni ynghanol yr adran ffeithiau diflas. Tipyn o stwff, sy'n golygu tipyn o ddysgu. Cofiwch ddysgu'r tueddiadau wrth fynd i lawr y grŵp – a chofiwch fwynhau!

Adweithiau'r Metelau Alcaliaidd

Wrth iddyn nhw Adweithio gyda Dŵr Oer caiff Nwy Hydrogen ei gynhyrchu:

Mae'r hydoddiant yn troi'n alcalïaidd, sy'n newid lliw'r dangosydd pH. Porffor fydd lliw'r dangosydd ar ôl yr adwaith.

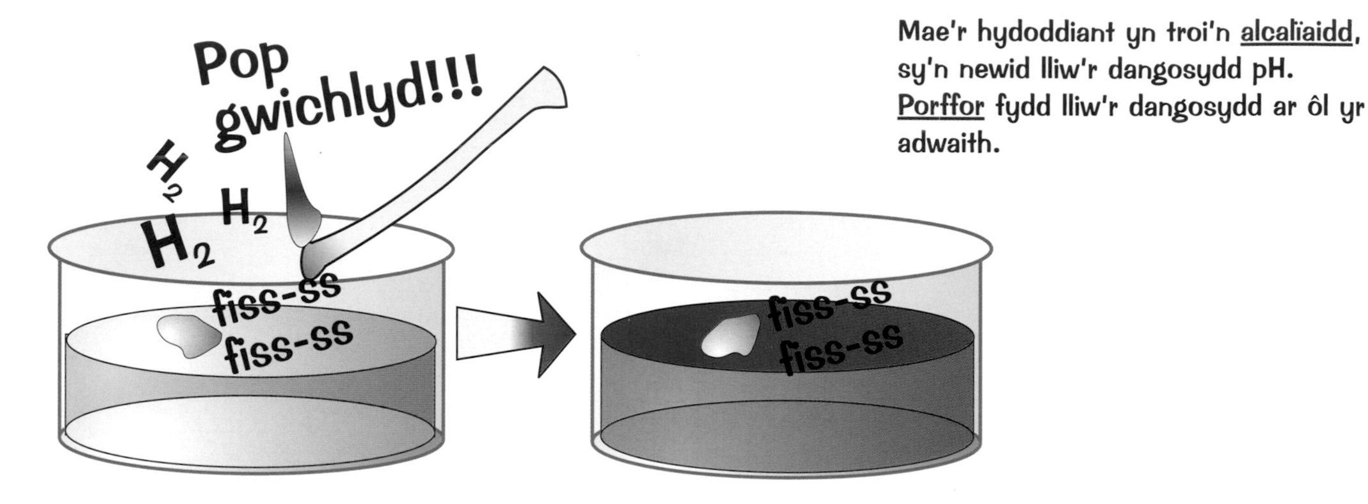

1) Po bellaf i lawr y grŵp y mae'r metel, y mwyaf adweithiol fydd y metel hwnnw gyda dŵr.
2) Pan fydd lithiwm, sodiwm neu botasiwm yn cael eu rhoi mewn dŵr, fe fyddan nhw'n adweithio'n ffyrnig.
3) Maen nhw'n symud o gwmpas arwyneb y dŵr, gan wneud sŵn 'ffiss-ss' ffyrnig.
4) Maen nhw i gyd yn cynhyrchu hydrogen, ond bydd potasiwm yn poethi digon i'w gynnau.
5) Gyda sblint llosg, bydd y 'pop gwichlyd' enwog yn dangos mai hydrogen sy'n bresennol, wrth i'r H_2 gynnau.
6) Oherwydd gwres yr adwaith, bydd y sodiwm a'r potasiwm yn ymdoddi.
7) Maen nhw'n ffurfio hydrocsid mewn hydoddiant.
8) Bydd yr hydrocsid yn gwneud i liw'r dangosydd cyffredinol newid o wyrdd i borffor.

$$2Li_{(s)} + 2H_2O_{(h)} \rightarrow 2LiOH_{(d)} + H_{2(h)}$$

$$2Na_{(s)} + 2H_2O_{(h)} \rightarrow 2NaOH_{(d)} + H_{2(h)}$$

$$2K_{(s)} + 2H_2O_{(h)} \rightarrow 2KOH_{(d)} + H_{2(h)}$$

Adweithiau'r Metelau Alcaïaidd

Yr Adwaith gyda Chlorin ac ati i gynhyrchu Halwynau Niwtral

Pan fydd clorin yn cael ei wresogi gyda lithiwm, sodiwm neu botasiwm bydd yr adwaith yn ffyrnig iawn. Bydd halwynau clorid yn cael eu cynhyrchu.

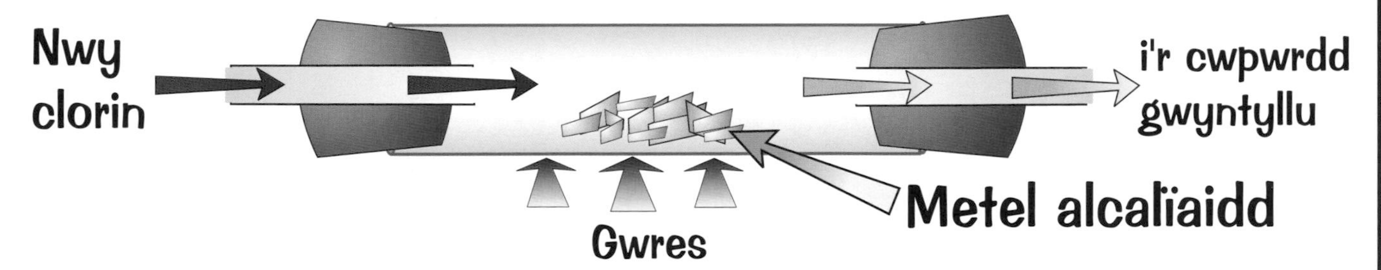

Dysgwch yr hafaliadau syml hyn:

$2Li_{(s)} + Cl_{2\,(n)} \rightarrow 2LiCl_{(s)}$ (lithiwm clorid)

$2Na_{(s)} + Cl_{2\,(n)} \rightarrow 2NaCl_{(s)}$ (sodiwm clorid)

$2K_{(s)} + Cl_{2\,(n)} \rightarrow 2KCl_{(s)}$ (potasiwm clorid)

Bydd fflworin, bromin ac ïodin yn cynhyrchu halwynau tebyg, megis lithiwm fflworid, potasiwm bromid neu sodiwm ïodid, ac yn y blaen... Mae'r halwynau metelau alcaïaidd hyn i gyd yn hapus iawn i hydoddi mewn dŵr.

Mae Metelau Alcaïaidd yn llosgi mewn Aer i gynhyrchu Ocsidau

Mae'r metalau alcaïaidd i gyd yn llosgi mewn aer ac, yn y broses, yn troi'n ocsidau.
Dylech allu ailadrodd yr hafaliadau hawdd hyn heb wneud mwy o ymdrech na rhoi pin ar bapur.

$4Li_{(s)} + O_{2\,(n)} \rightarrow 2Li_2O_{(s)}$ (lithiwm ocsid)

$4Na_{(s)} + O_{2\,(n)} \rightarrow 2Na_2O_{(s)}$ (sodiwm ocsid)

$4K_{(s)} + O_{2\,(n)} \rightarrow 2K_2O_{(s)}$ (potasiwm ocsid)

Maen nhw i gyd yn llosgi mewn aer â fflamau lliwgar del:

Mae Lithiwm yn llosgi â fflam goch ddisglair:

Mae Sodiwm yn llosgi â fflam oren ddisglair:

Mae Potasiwm yn llosgi â fflam leilac ddisglair:

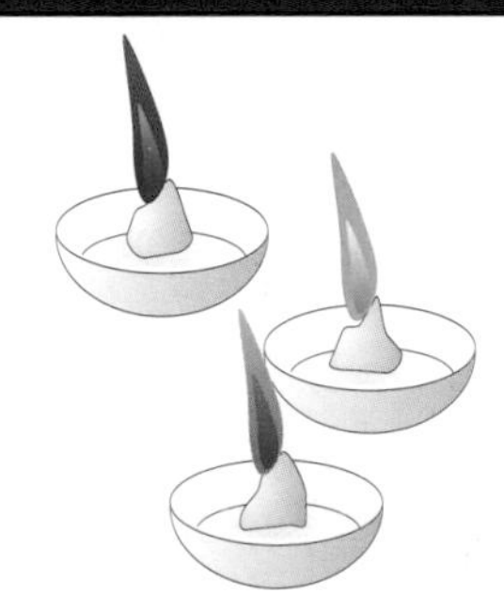

Y Pop Gwichlyd enwog? - oes rhywun yn cofio'r Band Roc hwnnw?

Mae hyn i gyd yn stwff eitha' erchyll, ond daliwch ati – cuddiwch ddarnau o'r dudalen ac ailadroddwch bob darn yn ei dro, neu ysgrifennwch dipyn bach i lawr, bydd pethau'n aros yn y cof o dipyn i beth. Dyfal donc...

Grŵp VII – Yr Halogenau

Dysgwch y Tueddiadau Hyn:

Mae sawl newid yn yr HALOGENAU pan fyddwch yn MYND I LAWR Grŵp VII:

1) Atomau mwy
...oherwydd bod un plisgyn llawn ychwanegol o electronau ar gyfer pob rhes wrth i chi fynd i lawr.

2) Adweithedd is
...oherwydd bod llai o chwant ennill yr electron ychwanegol i lenwi'r plisgyn allanol, am ei fod yn bellach oddi wrth y niwclews.

3) Lliw tywyllach

4) Newid o nwy yn solid
Nwyon yw fflworin a chlorin, hylif yw bromin, a solid yw ïodin.

5) Ymdoddbwynt uwch

6) Berwbwynt uwch

Grŵp V	Grŵp VI	Grŵp VII	Grŵp O
			He
	O	19 F Fflworin 9	Ne
	S	35.5 Cl Clorin 17	Ar
	Se	80 Br Bromin 35	Kr
	Te	127 I Ïodin 53	Xe
	Po	210 At Astatin 85	Rn

1) Anfetelau ag anwedd lliwgar yw'r Halogenau i gyd

Nwy melyn, gwenwynig, adweithiol iawn yw Fflworin.
Nwy gwyrdd, dwys, gwenwynig, gweddol adweithiol yw Clorin.
Hylif anweddol, coch-frown, gwenwynig, dwys yw Bromin.
Solid grisialog, llwyd tywyll, neu anwedd porffor yw Ïodin.

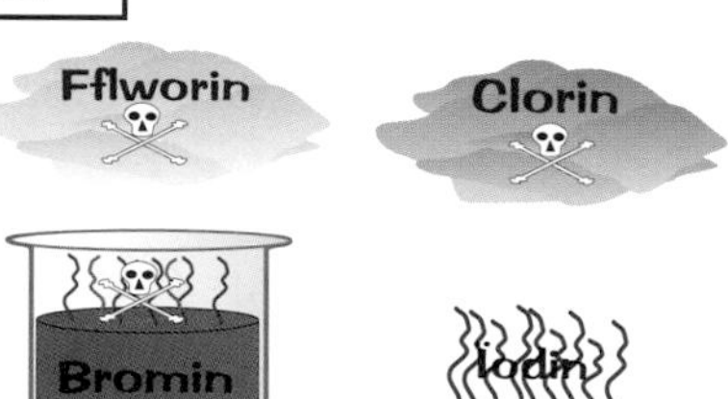

Bromin

Ïodin

2) Man nhw i gyd yn ffurfio moleciwlau sydd yn barau o atomau:

F_2 (F F) Cl_2 (Cl Cl) Br_2 (Br Br) I_2 (I I)

3) Mae bondio ïonig a bondio cofalent yn bosibl i'r Halogenau

Mae'r Halogenau i gyd yn ffurfio ïonau â gwefr 1–: F^- Cl^- Br^- I^- fel yn Na^+Cl^- neu K^+Br^-
Maen nhw i gyd yn ffurfio bondiau cofalent gyda'u hunain, a hefyd mewn cyfansoddion moleciwlaidd gwahanol fel y rhain:

Carbon tetraclorid: (CCl_4) — Cl, Cl C Cl, Cl

Hydrogen clorid: (HCl) — H Cl

4) Mae'r Halogenau yn wenwynig – defnyddiwch y cwpwrdd gwyntyllu bob amser

Does dim byd mwy i'w ddweud – defnyddiwch gwpwrdd gwyntyllu neu...

Dydy'r Halogenau ddim yn un o fy hoff bethau – maen nhw'n rhoi cur pen i mi...

Wel, rwy'n credu bod yr Halogenau ychydig bach yn llai erchyll na'r metelau Alcalïaidd. O leia maen nhw'n newid lliw, ac yn mynd o nwyon i hylif i solid. Dysgwch y ffeithiau diflas i gyd beth bynnag. A gwenwch ☺.

Adweithiau'r Halogenau

1) Mae'r Halogenau'n adweithio gyda metelau i ffurfio halwynau

Maen nhw'n adweithio gyda'r rhan fwyaf o'r metelau, gan gynnwys haearn ac alwminiwm, i ffurfio halwynau (neu "halidau metel").

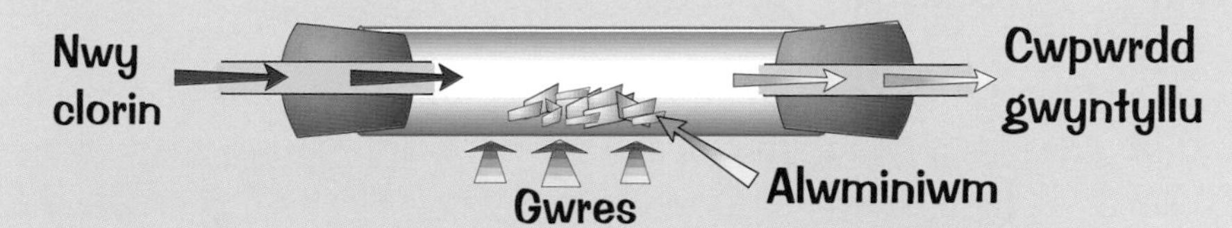

Hafaliadau:

$$2Al_{(s)} + 3Cl_{2\,(n)} \rightarrow 2AlCl_{3\,(s)} \quad \text{(Alwminiwm clorid)}$$
$$2Fe_{(s)} + 3Br_{2\,(n)} \rightarrow 2FeBr_{3\,(s)} \quad \text{(Haearn(III) bromid)}$$

Mae Arian Nitrad yn cael ei ddefnyddio i adnabod halwynau Clorid, Bromid ac Ïodid

Fel arfer, mae halwynau metel halid fel y rhai uchod yn hydoddi, oherwydd eu bod yn ïonig.
Ond, dydy'r halwynau ARIAN halid ddim yn hyddoddi – maen nhw'n anhydawdd – ac mae hyn yn brawf da ar gyfer y tri halid.

1) Pan ychwanegir arian nitrad at glorid bydd dyddodiad gwyn yn ffurfio (arian clorid).
2) Pan ychwanegir arian nitrad at fromid bydd dyddodiad lliw hufen yn ffurfio (arian bromid).
3) Pan ychwanegir arian nitrad at ïodid bydd dyddodiad melyn yn ffurfio (arian ïodid).

2) Bydd Halogenau mwy adweithiol yn dadleoli rhai llai adweithiol

1) Gall clorin ddadleoli bromin ac ïodin o hydoddiant bromid neu ïodid.
2) Gall bromin ddadleoli ïodin hefyd oherwydd yr un tueddiad yn yr adweithedd.

Nwy Cl_2

Hydoddiant potasiwm ïodod

Ïodin yn ffurfio yn yr hydoddiant

Hafaliadau:

$$Cl_{2\,(n)} + 2KI_{(d)} \rightarrow I_{2\,(d)} + 2KCl_{(d)}$$
$$Cl_{2\,(n)} + 2KBr_{(d)} \rightarrow Br_{2\,(d)} + 2KCl_{(d)}$$

3) Mae nwy Hydrogen Clorid yn hydoddi i ffurfio asid HCl

1) Moleciwl deuatomig yw hydrogen clorid (moleciwl dau atom); bond cofalent sy'n ei ddal at ei gilydd.
2) Mae ganddo adeiledd moleciwlaidd syml.
3) Mae'n nwy di-liw, dwys, ag arogl myglyd.
4) Mae nwy HCl yn hydoddi mewn dŵr i ffurfio'r asid cryf adnabyddus, asid hydroclorig.
5) Y dull cywir o hydoddi Hydrogen Clorid mewn dŵr yw drwy ddefnyddio twndis â'i ben i waered, fel mae'r diagram yn dangos:

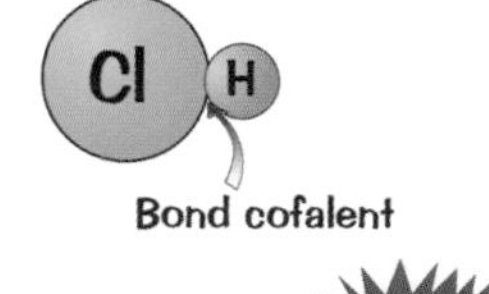

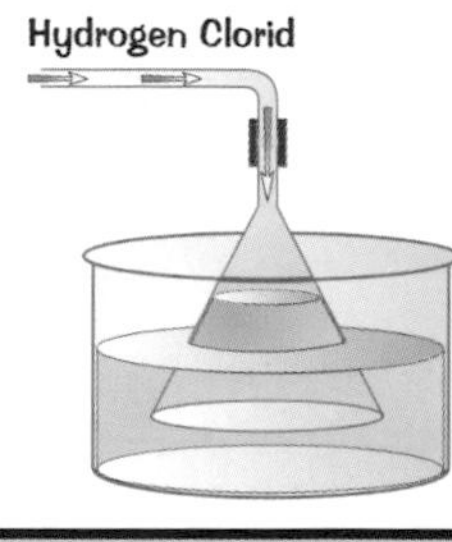

Halwynau ac Asidau – dyna gyfuniad diflas...

Rhagor o adweithiau hyfryd i'ch cadw i fynd drwy boen a phrysurdeb dyddiau ysgol. Cofiwch am yr holl blant yn y trydydd byd fyddai wrth eu bodd yn cael cyfle i ddysgu am halwynau clorid a dyddodion arian bromid – rydych chi'n lwcus dros ben. Dysgwch, a mwynhewch...

Halen Diwydiannol

O'r môr mae Halen yn dod – ac o dan Sir Gaer hefyd

1) Mewn gwledydd poeth, does dim ond rhaid i'r bobl dywallt dŵr môr i danciau agored mawr, gwastad, ac aros i'r haul anweddu'r dŵr, gan adael halen. Does dim digon o olau haul i wneud hyn mewn gwledydd oer.
2) Yng ngwledydd Prydain (gwledydd oer – rhag ofn nad oeddech chi wedi sylwi!) mae halen yn cael ei echdynnu o'r dyddodion tanddaearol a gafodd eu gadael filiynau o flynyddoedd yn ôl wrth i'r moroedd anweddu yn yr oes bell honno. Mae dyddodion anferth o'r HALEN CRAIG hwn yn Sir Gaer, ac mae'n cael ei dynnu o byllau tan ddaear. Cymysgedd o dywod a halen yw halen craig yn bennaf. Yn ei gyflwr crai, gellir ei ddefnyddio ar y ffyrdd, neu gellir hidlo'r halen allan er mwyn ei buro a'i ddefnyddio mewn ffyrdd eraill, fel y dangosir isod.

1) Mae halen craig yn cael ei ddefnyddio i ddadrewi ffyrdd

1) Bydd yr halen yn y cymysgedd yn dadmer rhew drwy ostwng rhewbwynt dŵr i oddeutu –5°C.
2) Bydd y tywod â'r graean mân sydd ynddo yn rhoi gafael da ar unrhyw rew sydd heb ddadmer.

2) Maen nhw'n hoff iawn o ddefnyddio halen (sodiwm clorid) yn y diwydiant bwyd

Ychwanegir halen at y rhan fwyaf o fwydydd wedi eu prosesu er mwyn gwella'u blas.
Erbyn hyn, mae bwyta gormod o halen yn cael ei ystyried yn beth afiach.
Rhyw ddiwrnod, synnwn i ddim na fydd pob bwyd yn cael ei alw'n afiach neu'n beryglus i'w fwyta. Fyddech chi'n hoffi gosod bet ar y bwyd olaf i gael ei ystyried yn ddiogel i'w fwyta? Mae fy arian i ar Locustiaid Sych.

3) Mae halen yn cael ei ddefnyddio i wneud cemegion

Mae halen yn bwysig iawn yn y diwydiannau cemegol, sydd wedi'u lleoli'n bennaf yn ardal Sir Gaer a Glannau Merswy oherwydd yr holl halen craig sydd yno. Y peth cyntaf sy'n digwydd yw ei electroleiddio fel hyn:

Mae Electrolysis Halen yn rhoi Hydrogen, Clorin ac NaOH

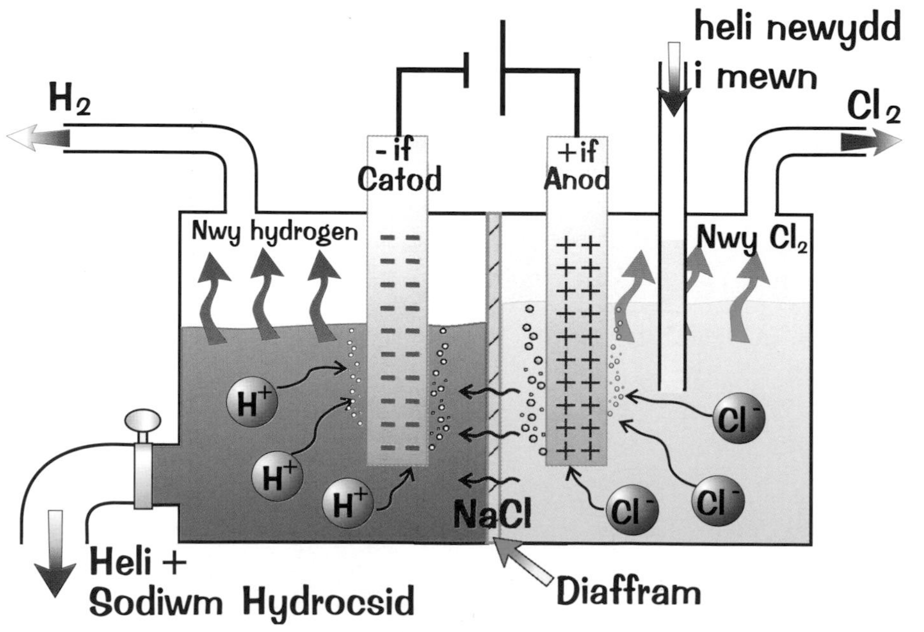

HELI yw'r enw ar halen wedi hydoddi mewn dŵr.
Pan fydd heli crynodedig yn cael ei electroleiddio, mae'n rhoi tri chynnyrch defnyddiol:

a) Nwy hydrogen, sy'n cael ei ryddhau wrth y catod.
b) Nwy clorin, sy'n cael ei ryddhau wrth yr anod.
c) Sodiwm hydrocsid, sydd ar ôl mewn hydoddiant.

Wedyn, bydd rhain yn cael eu casglu a'u defnyddio mewn diwydiannau gwahanol i wneud cynhyrchion o bob math. Mae manylion ar y dudalen nesaf un.

Halen Craig – meddyliwch am y llygredd wrth iddo lifo i'r môr

Edrychwch ar y dudalen hon. Yr holl ysgrifen – ond dim ond tua 10 ffaith bwysig i'w dysgu. Fy mai i, mae'n debyg – gormod o rwtsh. Does ond gobeithio'i fod yn gwneud i chi wenu ambell waith.

Defnyddio Halogenau a Chynhyrchion Halen

Rhai ffyrdd o ddefnyddio Halogenau y dylech chi eu gwybod

Mae fflworin (neu fflworid, yn hytrach) yn lleihau pydredd dannedd

Gall fflworid gael ei ychwanegu at ein dŵr yfed a hefyd ei roi mewn pâst dannedd i helpu atal pydredd dannedd.

Mae clorin yn cael ei ddefnyddio mewn cannydd ac i ddiheintio dŵr

1) Cannydd yw'r enw ar glorin wedi ei hydoddi mewn hydoddiant sodiwm hydrocsid.
2) Mae cyfansoddion clorin yn cael eu defnyddio hefyd i ladd germau mewn pyllau nofio, ac mewn dŵr yfed hefyd.
3) Mae'n cael ei ddefnyddio hefyd i wneud pryfleiddiaid ac wrth gynhyrchu HCl.

Mae ïodin yn cael ei ddefnyddio fel antiseptig...

...ond mae'n llosgi fel y ***** ac yn staenio'r croen yn frown. Hyfryd iawn.

Mae halidau arian yn cael eu defnyddio ar ffilm ffotograffig du a gwyn

1) Mae arian yn anadweithiol dros ben. Gall ffurfio halidau ond mae'n hawdd eu hollti.
2) A dweud y gwir, mae gan olau gweladwy cyffredin ddigon o egni i'w hollti.
3) Mae haen o arian bromid di-liw ar ffilm ffotograffig.
4) Pan fydd golau yn taro rhannau ohono, mae'r arian bromid yn hollti yn arian a bromin:

$$2AgBr \rightarrow Br_2 + 2Ag \text{ (metel arian)}$$

5) Mae'r metel arian yn ymddangos yn ddu. Po fwyaf disglair fydd y golau, y mwyaf tywyll y bydd y metel arian yn mynd.
6) Bydd hyn yn cynhyrchu negatif du a gwyn fel, er enghraifft, llun pelydr-X.

Cynhyrchion Defnyddiol o Electrolysis Heli

1) Clorin

1) Fe'i defnyddir mewn cannydd, i ddiheintio dŵr, i wneud HCl a hefyd pryfleiddiaid.
2) Fe'i defnyddir i wneud CFCau ar gyfer oergelloedd, chwistrelli erosol a phlastigion. Erbyn hyn, mai llawer llai o ddefnydd ar CFCau, oherwydd ein bod yn gwybod eu bod yn niweidio'r haen oson.

2) Hydrogen

1) Fe'i defnyddir yn ystod Proses Haber i wneud amonia.
2) Fe'i defnyddir i newid olewau yn frasterau i wneud margarîn. ("olew llysiau hydrogenedig")

3) Hydrogen

Mae sodiwm hydrocsid yn alcali cryf iawn, ac fe'i defnyddir gryn dipyn yn y diwydiant cemegol, e.e.
1) sebon 2) ceramigau 3) cemegion organig 4) mwydion papur 5) hylif glanhau popty.

Dysgwch yn helaeth am yr heli – yr holl ffyrdd y caiff halen ei ddefnyddio...

Môr o ffeithiau diflas i'w dysgu yma – a'r nesa' peth i ddim stwnshian. Ond meddyliwch am hyn – yr unig ddarn sy'n debyg o aros yn eich cof yw'r un am yr ïodin. Ydw i'n iawn?

Asidau ac Alcaliau

Y Raddfa pH a Dangosydd Cyffredinol

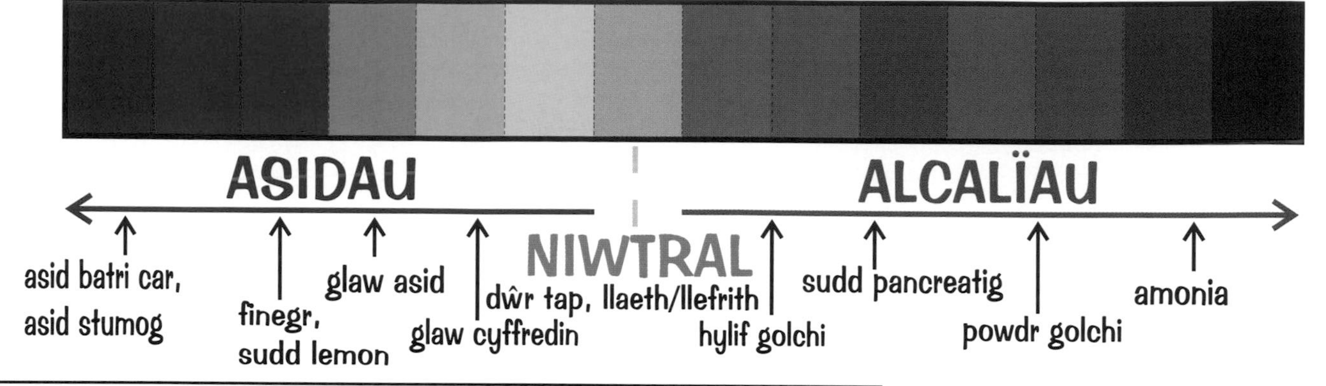

Dim ond Llifyn sy'n newid lliw yw Dangosydd

1) Mae newid lliw y llifyn yn dibynnu a yw mewn asid neu mewn alcali.
2) Cyfuniad defnyddiol o lifynnau yw dangosydd cyffredinol; mae'n rhoi'r lliwiau sydd i'w gweld uchod.
3) Gwnewch yn siŵr eich bod yn gwybod y lliwiau am bob gwerth pH.

Mae'r raddfa pH yn mynd o 1 i 14

1) Mae gan yr asid cryfaf pH 1. Mae gan yr alcali cryfaf pH 14.
2) Mae gan bethau niwtral pH 7, (e.e. dŵr pur)
3) Mae unrhyw beth is na 7 yn asidig. Mae unrhyw beth uwch na 7 yn alcalïaidd.

Mae gan asidau ïonau H^+ — Mae gan alcalïau ïonau OH^-

Diffiniad cul asidau ac alcalïau yw:

> ***ASIDAU*** yw sylweddau sy'n ffurfio *ïonau* $H^+_{(d)}$ wrth gael eu hychwanegu at ddŵr.
> ***ALCALÏAU*** yw sylweddau sy'n ffurfio *ïonau* $OH^-_{(d)}$ wrth gael eu hychwanegu at ddŵr.

Niwtraliad

Dyma'r hafaliad ar gyfer unrhyw adwaith niwtralu. Gofalwch eich bod yn ei ddysgu:

Asid + alcali → halwyn + dŵr

Tair enghraifft o Niwtraliad yn ein bywyd bob dydd:

1) Gormod o asid hydroclorig yn y stumog sy'n achosi diffyg traul. Mae tabledi camdreuliad yn cynnwys alcalïau megis magnesiwm ocsid, sy'n niwtralu'r gormodedd HCl.
2) Mae modd gwella pridd asidig drwy roi calch ar y caeau (gweler tudalen 24). Y calch sy'n cael ei roi ar y caeau yw calsiwm hydrocsid $Ca(OH)_2$ sydd, wrth gwrs, yn alcali cryf.
3) Drwy ychwanegu calch, mae modd niwtralu llynnoedd hefyd, pan fydd glaw asid wedi effeithio ar eu dyfroedd. Mae hyn yn achub y pysgod.

Asid... wnewch chi ddysgu'r holl ffeithiau?

Gwnewch eich gorau i fwynhau'r dudalen hon am asidau ac alcalïau, oherwydd mae'r gwaith yn ddiflas o hyn ymlaen. Mae'r ffeithiau hyn yn rhai sylfaenol iawn ac, efallai, yn ddiddorol hefyd. Cuddiwch y dudalen ac ysgrifennwch y ffeithiau i gyd oddi ar eich cof...

Asidau'n Adweithio gyda Metelau

Asid + Metel → Halwyn + Hydrogen

Mae hwn mewn ysgrifen fawr gan ei fod yn werth ei gofio. Dyma'r arbrawf nodweddiadol:

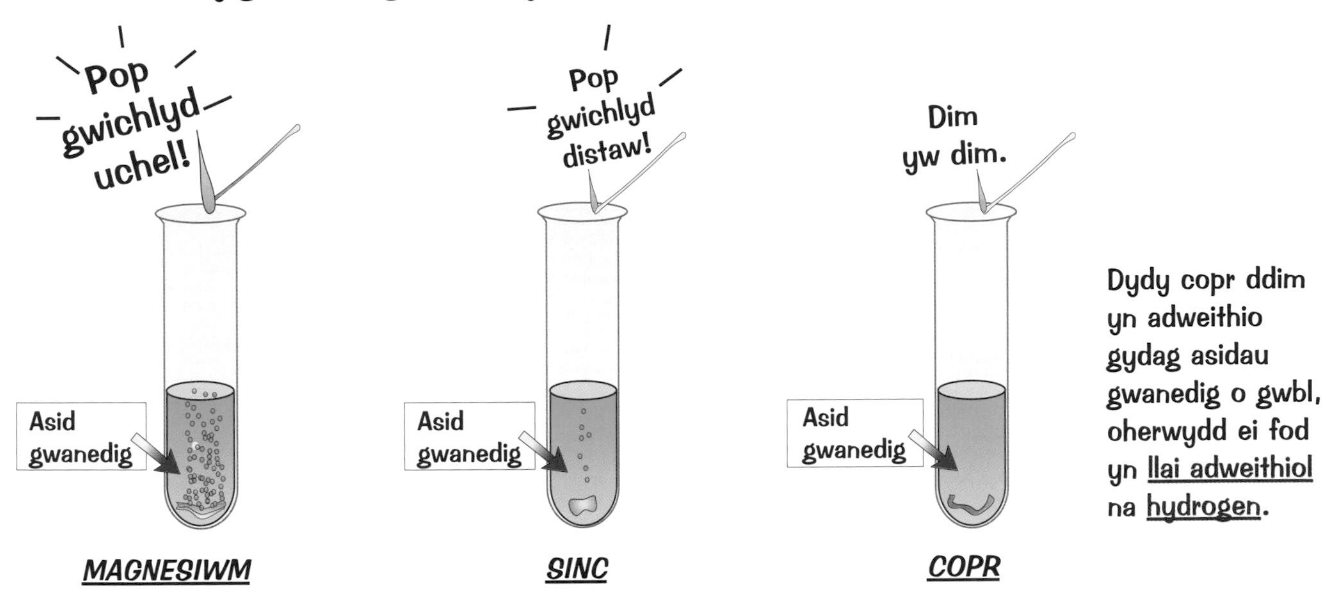

Dydy copr ddim yn adweithio gydag asidau gwanedig o gwbl, oherwydd ei fod yn llai adweithiol na hydrogen.

1) Po fwyaf adweithiol yw'r metel, y cyflymaf y bydd yn mynd.
2) Dydy copr ddim yn adweithio o gwbl gydag asidau gwanedig – oherwydd ei fod yn llai adweithiol na hydrogen.
3) Cyfradd rhyddhau'r swigod hydrogen sy'n dangos buanedd yr adwaith.
4) Mae prawf y sblint yn llosgi, sy'n cynhyrchu'r "pop gwichlyd" enwog, yn cadarnhau presenoldeb hydrogen.
5) Mae'r math o halwyn sy'n cael ei gynhyrchu yn dibynnu ar y metel sy'n cael ei ddefnyddio, ac ar yr asid sy'n cael ei ddefnyddio:

Bydd asid Hydroclorig yn cynhyrchu halwynau clorid bob amser:

$2HCl + Mg \rightarrow MgCl_2 + H_2$ (Magnesiwm clorid)

$2HCl + Zn \rightarrow ZnCl_2 + H_2$ (Sinc clorid)

Bydd asid Sylffwrig yn cynhyrchu halwynau sylffad bob amser:

$H_2SO_4 + Mg \rightarrow MgSO_4 + H_2$ (Magnesiwm sylffad)

$H_2SO_4 + Zn \rightarrow ZnSO_4 + H_2$ (Sinc sylffad)

Bydd asid Nitrig yn cynhyrchu halwynau nitrad pan fydd yn cael ei NIWTRALU, ond...

Mae asid nitrig yn adweithio'n iawn gydag alcalïau i gynhyrchu nitradau, ond gall chwarae triciau wrth adweithio gyda metelau, gan gynhyrchu ocsidau nitrogen. Felly, am y tro, gwell anghofio amdano. Pwnc cymhleth yw Cemeg, ambell waith!

Adolygu Asidau a Metelau – mor rhwydd â'r pop gwichlyd...

Mae'r stwff yma'n eitha' diddorol, wedi'r cyfan. Ddim cystal â gwylio ffilm dda, ond ddim yn ddrwg 'chwaith o gofio mai Cemeg ydyw. O leia' mae digon yn digwydd – swigod a fflamau, ac yn y blaen. Beth bynnag, dysgwch y cyfan, ei ysgrifennu i gyd, ac ati...

Asidau gydag Ocsidau a Hydrocsidau

Mae Ocsidau Metel a Hydrocsidau Metel yn Alcaliau

1) Mae rhai ocsidau metel a hydrocsidau metel yn hydoddi mewn dŵr i gynhyrchu hydoddiannau alcalïaidd.
2) Mewn geiriau eraill, mae ocsidau metel a hydrocsidau metel yn alcalïau fel rheol.
3) Ystyr hyn yw eu bod yn adweithio gydag asidau i ffurfio halwyn a dŵr.
4) Bydd hyd yn oed y rhai sydd ddim yn hydoddi mewn dŵr yn adweithio gydag asid.

Asid + Ocsid Metel → Halwyn + Dŵr

Asid + Hydrocsid Metel → Halwyn + Dŵr

(Adweithiau niwtralu yw'r rhain, wrth gwrs. Gallwch ddefnyddio dangosydd i weld a ydyn nhw wedi adweithio'n llwyr.)

Cyfuniad y Metel a'r Asid sy'n penderfynu ar yr Halwyn

Dydy hyn ddim yn gyffrous iawn, ond mae'n weddol hawdd, felly gwnewch eich gorau i ddysgu'r cyfan:

Asid hydroclorig	+	Copr ocsid	→	Copr clorid	+	dŵr
Asid hydroclorig	+	Sodiwm hydrocsid	→	Sodiwm clorid	+	dŵr
Asid sylffwrig	+	Sinc ocsid	→	Sinc sylffad	+	dŵr
Asid sylffwrig	+	Calsiwm hydrocsid	→	Calsiwm sylffad	+	dŵr
Asid nitrig	+	Magnesiwm ocsid	→	Magnesiwm nitrad	+	dŵr
Asid nitrig	+	Potasiwm hydrocsid	→	Potasiwm nitrad	+	dŵr

Mae'r hafaliadau symbolau i gyd yn eithaf tebyg. Dyma ddau ohonyn nhw:

$$H_2SO_4 + ZnO \rightarrow ZnSO_4 + H_2O$$

$$HNO_3 + KOH \rightarrow KNO_3 + H_2O$$

Fel rheol, mae Ocsidau anfetelau yn asidig, nid alcalïaidd

1) Yr enghreifftiau gorau yw ocsidau'r tri anfetel hyn: carbon, sylffwr a nitrogen.
2) Mae carbon deuocsid yn hydoddi mewn dŵr i ffurfio asid carbonig, sy'n asid gwan.
3) Mae sylffwr deuocsid yn cyfuno â dŵr ac O_2 i ffurfio asid sylffwrig, sy'n asid cryf.
4) Mae nitrogen deuocsid yn hydoddi mewn dŵr i ffurfio asid nitrig, sy'n asid cryf.
5) Mae'r tri hyn i gyd yn bresennol mewn glaw asid, wrth gwrs.
6) Mae asid carbonig yn bresennol mewn glaw beth bynnag, felly mae hyd yn oed glaw cyffredin ychydig yn asidig.

Cofiwch y tair enghraifft hyn:

Mae ocsidau anfetelau yn asidig:
CARBON DEUOCSID *SYLFFWR DEUOCSID* *NITROGEN DEUOCSID*

Mae asidau'n bethau diflas on'd ydyn nhw, mewn gwirionedd? Dysgwch a chwyrnwch...

Mae cemegwyr proffesiynol wrth eu bodd gyda'r pethau hyn. Pobl normal (fel chi a fi) sy'n gorfod gwneud ymdrech i'w dysgu – ac mae ambell un ag Arholiadau ar y gorwel – felly cofiwch ddysgu'r cyfan...

Asidau gyda Charbonadau ac Amonia

Mwy, mwy o adweithiau gwefreiddiol asidau! O leia' mae swigod difyr yma...

Asid + Carbonad → Halwyn + Dŵr + Carbon deuocsid

1) Cofiwch y ffaith fod carbonadau gydag asidau yn rhyddhau carbon deuocsid.
2) Ac os byddwch yn ymarfer ysgrifennu'r hafaliadau hyn oddi ar eich cof, wnaiff hynny ddim drwg i chi 'chwaith.

asid hydroclorig	+	sodiwm carbonad	→	sodiwm clorid	+	dŵr	+	carbon deuocsid
2HCl	+	Na_2CO_3	→	2NaCl	+	H_2O	+	CO_2
asid sylffwrig	+	calsiwm carbonad	→	calsiwm sylffad	+	dŵr	+	carbon deuocsid
H_2SO_4	+	$CaCO_3$	→	$CaSO_4$	+	H_2O	+	CO_2

Y Prawf am bresenoldeb Carbon Deuocsid: Mae'n troi dŵr calch yn gymylog

1) Byrlymu'r nwy drwy ddŵr calch.
2) Os carbon deuocsid yw'r nwy, bydd y dŵr calch yn troi'n gymylog.

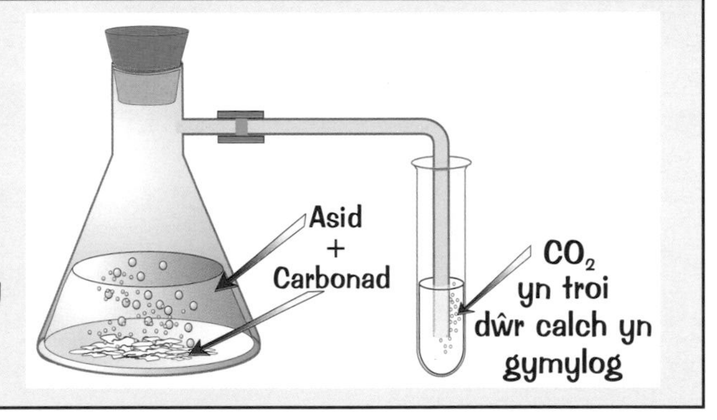

Asid Gwanedig + Amonia → Halwyn amoniwm

Dysgwch hwn, yna dysgwch y tri hafaliad isod nes byddwch yn gallu ysgrifennu'r cwbl oddi ar eich cof:

Asid hydroclorig	+	Amonia	→	Amoniwm clorid
$HCl_{(d)}$	+	$NH_{3\,(d)}$	→	$NH_4Cl_{(d)}$
Asid sylffwrig	+	Amonia	→	Amoniwm sylffad
$H_2SO_{4\,(d)}$	+	$2NH_{3\,(d)}$	→	$(NH_4)_2SO_{4\,(d)}$
Asid nitrig	+	Amonia	→	Amoniwm nitrad
$HNO_{3\,(d)}$	+	$NH_{3\,(d)}$	→	$NH_4NO_{3\,(d)}$

Mae'r adwaith diwethaf hwn gydag asid nitrig yn cynhyrchu'r gwrtaith enwog amoniwm nitrad, sy'n ddefnyddiol dros ben oherwydd ei ddogn dwbl o nitrogen hanfodol. (Gweler Tud. 25)

Ydych chi'n dal ar ddihun? Dylai'r dudalen hon eich gwneud yn gysglyd...

Diolch byth, dyna'r dudalen ola' ar asidau. Dysgwch y ffeithiau diflas i gyd – ac ysgrifennwch y cyfan. (Os oes y fath beth â Grŵp Gwarchod Asidau, bydd yn siŵr o ddod ar fy ôl i!!)

Metelau

Metelau yw pob un o'r elfennau hyn. Cymrwch gip arnyn nhw i gyd – mae llwyth ohonyn nhw!

Yr Adeiledd Grisial Metelig

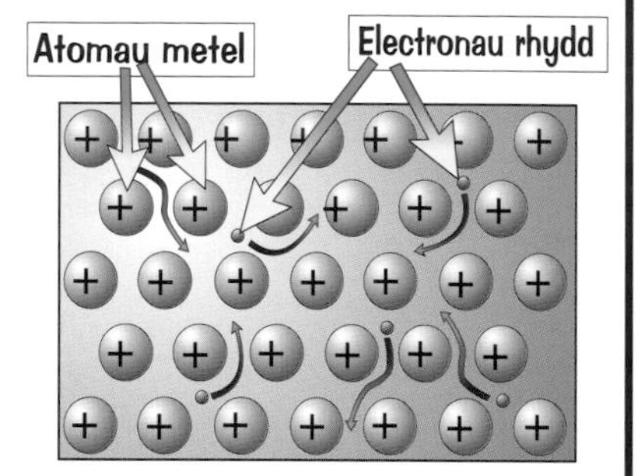

1) Mae gan bob metel yr un priodweddau sylfaenol.
2) Y math arbennig o fondio sy'n bodoli mewn metelau yw'r rheswm am hyn.
3) Mae metelau wedi'u gwneud o adeiledd enfawr o atomau, gyda bondiau metelig yn eu dal at ei gilydd.
4) Mae'r bondiau arbennig hyn yn caniatáu i electron(au) allanol pob atom symud o gwmpas.
5) Mae hyn yn creu "môr" o electronau rhydd drwy'r metel i gyd, sy'n gyfrifol am nifer o briodweddau metelau.

1) Mae pob metel yn dargludo trydan

Yr electronau rhydd sy'n cludo'r cerrynt sy'n gwbl gyfrifol am hyn.

2) Mae pob metel yn dargludo gwres yn dda

Unwaith eto, yr electronau rhydd sy'n cludo'r egni gwres sy'n gwbl gyfrifol am hyn.

3) Mae metelau yn gryf, ond hefyd yn hyblyg a hydrin

Maen nhw'n gryf (yn anodd eu torri), ond mae modd eu plygu neu eu curo i wahanol siapiau.

4) Mae metelau i gyd yn sgleiniog *(yn union ar ôl eu torri neu eu llathru)*

5) Mae gan bob metel ymdoddbwynt a berwbwynt uchel

Sy'n golygu bod yn rhaid i chi eu gwresogi'n go boeth cyn eu bod yn ymdoddi (heblaw am fercwri, chwarae teg i hwnnw). E.e. copr 1100°C, twngsten 3377°C

6) Mae modd cymysgu metelau gyda'i gilydd i ffurfio nifer o aloïau defnyddiol:

1) Mae dur yn aloi (cymysgedd) o haearn ac oddeutu 1% carbon. Mae dur dipyn yn llai brau na haearn.
2) Mae efydd yn aloi o gopr a thun. Mae'n galetach na chopr ond mae'n ddigon rhwydd ei siapio.
3) Defnyddir copr a nicel (75% : 25%) i wneud nicel coprog, sy'n ddigon caled i wneud darnau arian.

Lludded Metel? – ie wir – rydyn ni i gyd wedi cael hen ddigon ar y dudalen hon erbyn hyn...

O diar.

Anfetelau

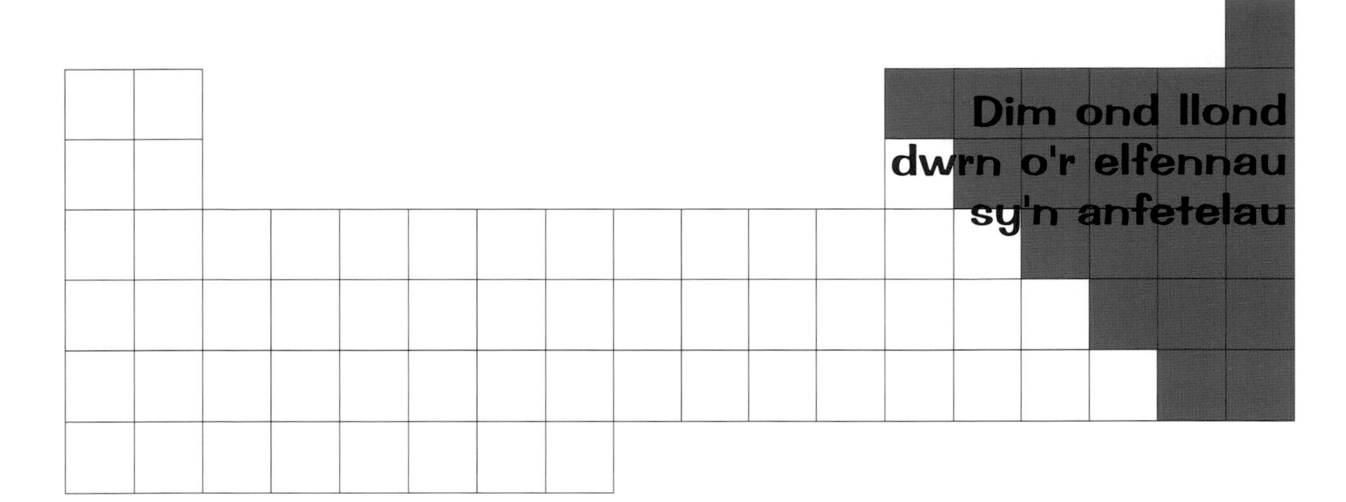

Mae'r elfennau anfetel naill ai'n solidau afloyw, brau, neu'n nwyon

Dim ond oddeutu chwarter yr elfennau sy'n anfetelau.
Mae hanner yr anfetelau yn nwyon a'u hanner yn solidau.
Bromin yw'r unig elfen anfetel hylifol.
Mercwri yw'r unig elfen arall sy'n hylif (ar dymheredd ystafell, hynny yw).

1) Mae anfetelau yn dargludo gwres yn wael

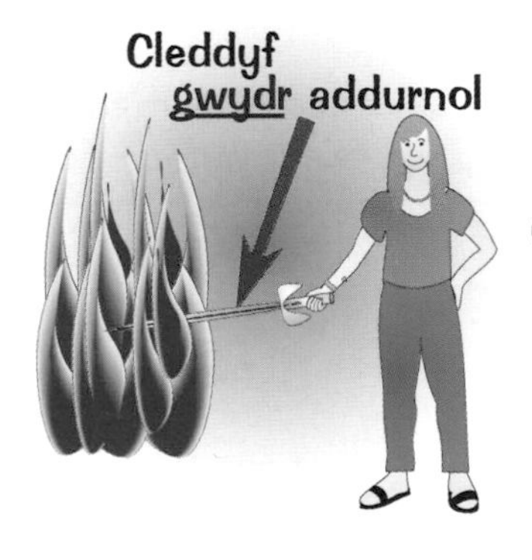

2) Dydy anfetelau ddim yn dargludo trydan o gwbl

heblaw am graffit sy'n dargludo oherwydd bod ganddo rai electronau rhydd rhwng haenau ei adeiledd grisialog.

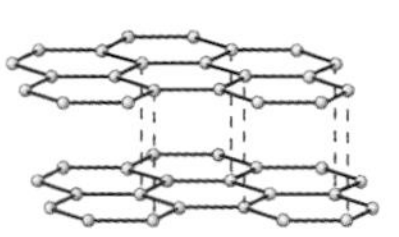

Peidiwch â gwneud hyn gartre' 'chwaith!
Peidiwch â holi pam – peidiwch, dyna'i gyd.

3) Fel arfer, mae anfetelau'n bondio mewn moleciwlau bychain, e.e. O_2, N_2, ac ati

4) Ond mae carbon a silicon yn ffurfio adeileddau enfawr:

Graffit
(carbon pur)

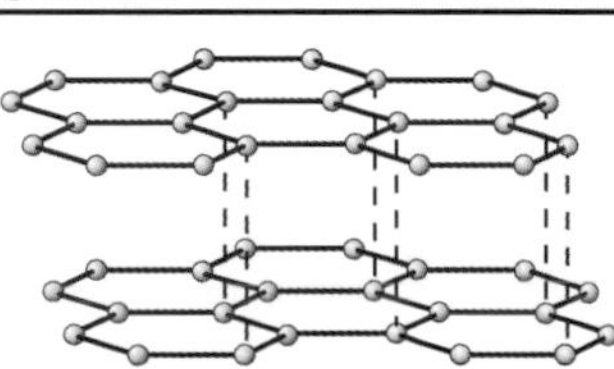

Diemwnt
(carbon pur)

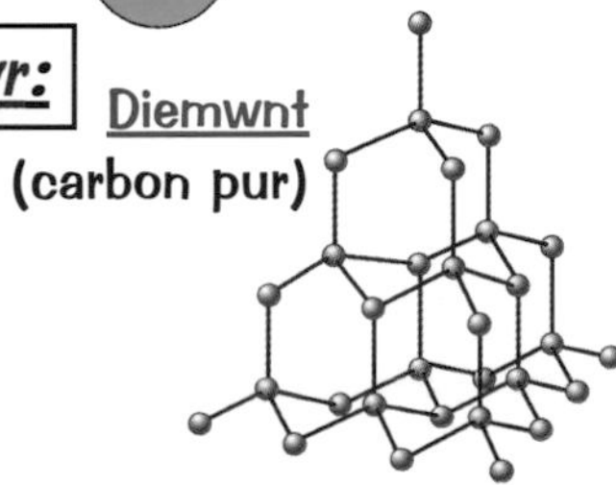

Lludded Anfetel? – doedd dim o'r fath beth yn bod – tan i ni gyrraedd y dudalen hon...

Metelau ac anfetelau yw'r pethau sy'n gwneud Cemeg yn wirioneddol anodd. Heblaw amdanyn nhw, byddai'n bwnc gweddol hawdd. Dysgwch, serch hynny, a mwynhewch.

Cyfres Adweithedd y Metelau

Rhaid i chi ddysgu Cyfres Adweithedd y Metelau

Dylech wybod pa rai o blith y metelau yw'r mwyaf adweithiol, a pha rai sy'n llai adweithiol.

Y GYFRES ADWEITHEDD

	Metel	Symbol
Adweithiol iawn	POTASIWM	K
	SODIWM	Na
	CALSIWM	Ca
Gweddol adweithiol	MAGNESIWM	Mg
	ALWMINIWM	Al
	(CARBON)	
	SINC	Zn
Ddim yn adweithiol iawn	HAEARN	Fe
	PLWM	Pb
	(HYDROGEN)	
	COPR	Cu
Cwbl anadweithiol	ARIAN	Ag
	AUR	Au
	PLATINIWM	Pt

Mae'n rhaid echdynnu'r metelau sydd uwchben carbon o'u mwynau drwy electrolysis.

Mae modd echdynnu'r metelau sydd islaw carbon o'u mwynau drwy eu rhydwytho â charbon neu â golosg.

Dydy'r metelau sydd islaw hydrogen ddim yn adweithio gyda dŵr nac asid. Dydyn nhw ddim yn pylu (colli sglein) nac yn cyrydu yn hawdd.

Cafwyd cyfres adweithedd drwy wneud arbrofion i weld pa mor gryf roedd metelau'n adweithio.
Yr adwaith safonol sy'n penderfynu adweithedd yw'r adwaith â dŵr.
Mae'n bwysig eich bod chi'n gwneud yn siŵr eich bod yn dysgu'r manylion hyn yn fanwl:

Adweithio Metelau gyda Dŵr

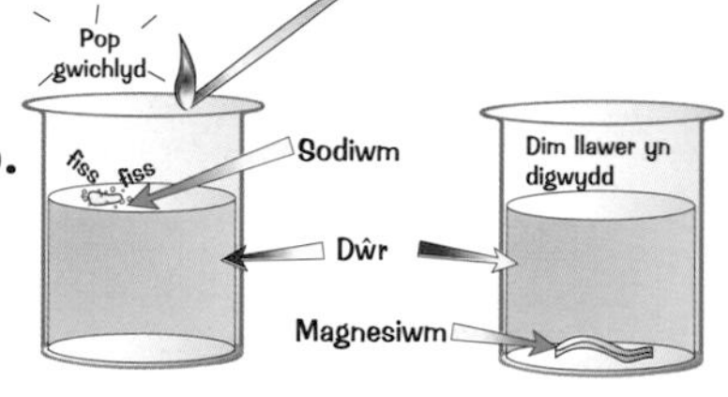

1) Os bydd metel yn adweithio gyda dŵr bydd yn rhyddhau hydrogen bob tro.
2) Mae'r metelau mwyaf adweithiol yn adweithio gyda dŵr oer i ffurfio hydrocsidau:

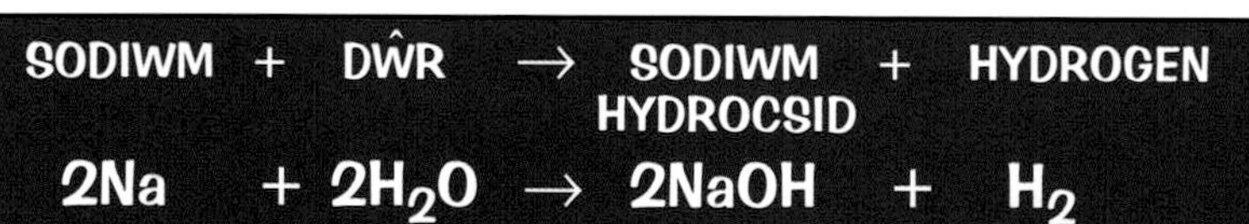

SODIWM + DŴR → SODIWM HYDROCSID + HYDROGEN

$$2Na + 2H_2O \rightarrow 2NaOH + H_2$$

3) Dydy'r metelau llai adweithiol ddim yn adweithio'n gyflym gyda dŵr ond maen nhw yn adweithio gydag ager i ffurfio ocsidau:

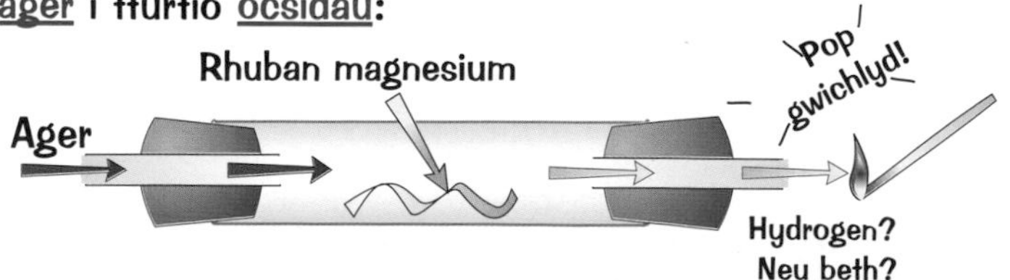

MAGNESIWM + DŴR → MAGNESIWM OCSID + HYDROGEN

$$Mg + H_2O \rightarrow MgO + H_2$$

Adwaith gyda dŵr

POTASIWM, SODIWM, CALSIWM	Adweithio gyda dŵr oer
MAGNESIWM, ALWMINIWM, SINC	Adweithio gydag ager
HAEARN	Adweithio'n gildroadwy gydag ager
PLWM, COPR, ARIAN, AUR	Dim adwaith gyda dŵr nac ager

A'r holl ffws yma dim ond i ddweud – "mae rhai metelau'n adweithio mwy na'i gilydd"...

Credwch neu beidio ond gallech gael cwestiwn yn yr arholiad yn gofyn i chi beth sy'n digwydd pan fydd copr yn cael ei roi mewn dŵr oer, neu pan fydd calsiwm yn cael ei roi mewn dŵr oer. Mae hyn yn golygu bod angen dysgu'r manylion hyn i gyd.

Metelau Trosiannol

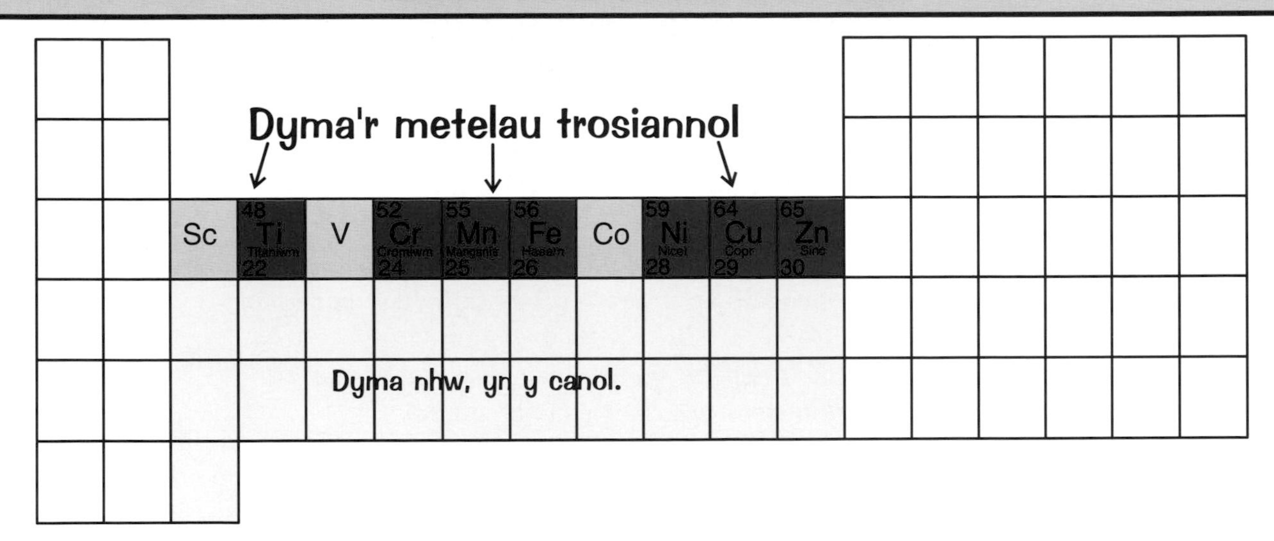

Titaniwm, Cromiwm, Manganîs, Haearn, Nicel, Copr, Sinc

Bydd angen i chi wybod y rhai sydd wedi'u lliwio'n goch yn eithaf da. Does dim angen i chi boeni am y lleill.

Mae gan y Metelau Trosiannol i gyd ymdoddbwynt uchel a dwysedd uchel

Maen nhw'n fetelau nodweddiadol. Eu nodweddion yw'r rhai y byddech yn eu disgwyl gan y metelau iawn:

1) Maen nhw'n dargludo gwres a thrydan yn dda.
2) Maen nhw'n sgleiniog, dwys, a chryf iawn.
3) Mae haearn yn ymdoddi ar dymheredd o 1500°C, copr yn ymdoddi ar dymheredd o 1100°C a sinc yn ymdoddi ar dymheredd o 400°C.

Mae'r metelau trosiannol a'u cyfansoddion i gyd yn gatalyddion da

1) Haearn yw'r catalydd sy'n cael ei ddefnyddio yn ystod proses Haber i wneud amonia.
2) Mae managanîs (IV) ocsid yn gatalydd da ar gyfer dadelfeniad hydrogen perocsid.
3) Mae nicel yn ddefnyddiol wrth newid olewau yn frasterau ar gyfer gwneud margarîn.

Mae'r cyfansoddion yn lliwgar iawn

1) Mae'r cyfansoddion yn lliwgar oherwydd eu bod yn cynnwys ïon y metel trosiannol. e.e. Mae potasiwm cromad(VI) yn felyn. Mae potasiwm manganad(VII) yn borffor. Mae copr(II) sylffad yn las.
2) O'r metelau trosiannol y daw lliw gwallt pobl, a lliwiau gemau megis saffir glas ac emrallt gwyrdd, a lliwiau gwydredd crochenwaith.
   ...Ac mae copr ar ôl hindreulio (wedi ocsidio) yn lliw gwyrdd llachar prydferth.

Defnyddio Haearn, Copr a Sinc

1) Mae haearn yn cael ei ddefnydio i wneud caeadau tyllau yn y ffordd. Yn wahanol i ddur – sy'n fwy defnyddiol – mae haearn pur yn frau iawn.
2) Mae copr yn cael ei ddefnydio ar gyfer gwifrio trydanol a phibellau dŵr mewn tai. Copr a nicel sy'n cael eu defnyddio i wneud darnau arian.
3) Mae sinc yn cael ei ddefnyddio ar gyfer galfaneiddio haearn. O'r aloi pres sy'n dod o sinc a chopr y mae trwmpedi a thiwbas yn cael eu gwneud.
4) Mae titaniwm yn cael ei ddefnyddio i wneud aloi cryf, ysgafn ar gyfer awyrennau a thaflegrau.

Lliwiau ym mhob man i godi'r galon...

Mae llawer i'w ddysgu am y metelau trosiannol. Gwnewch eich gorau i ddysgu'r pum pennawd i ddechrau. Yna dysgwch y manylion o dan bob un. Daliwch ati i ysgrifennu'r cyfan i lawr.

Crynodeb Adolygu Adran Pump

Rwy'n credu y byddwch yn cytuno bod tipyn o waith dysgu ar y Cemeg yn Adran Pump. Mae'n gwneud i fyny am y gwaith eithaf hawdd yn Adran Pedwar! Ond peidiwch â rhoi'r ffidil yn y to – byddwch wedi dysgu'r cyfan cyn bo hir. Bydd y cwestiynau difyr hyn yn rhoi syniad i chi faint rydych chi wedi dysgu eisoes. Mae'r atebion i gyd yn Adran Pump os byddwch yn methu ag ateb ambell gwestiwn:

1) Pa ddwy briodwedd oedd yn sail i'r tabl cyfnodol cynnar?
2) Pwy oedd yr hen walch wnaeth y cynnig gorau a beth oedd y rheswm pam roedd ei dabl mor glyfar?
3) Pa un o briodweddau atomau sy'n penderfynu ar drefn y Tabl Cyfnodol modern?
4) Beth yw'r Cyfnodau a'r Grwpiau?
5) Eglurwch arwyddocâd "Cyfnodau" a "Grwpiau" yn nhermau plisg electronau.
6) Gwnewch ddiagramau i ddangos trefn electronau'r ugain elfen gyntaf.
7) Beth yw trefn electronau'r nwyon nobl? Beth yw eu priodweddau?
8) Nodwch ddwy ffordd o ddefnyddio heliwm, neon ac argon.
9) Pa Grŵp yw'r metelau alcalïaidd? Disgrifiwch eu plisgyn allanol.
10) Gwnewch restr o bedair priodwedd ffisegol a dwy briodwedd gemegol y metelau alcalïaidd.
11) Rhowch fanylion am adweithiau'r metelau alcalïaidd gyda dŵr a chlorin, ac yn llosgi mewn aer.
12) Beth allwch chi ddweud am pH ocsidau a hydrocsidau metelau alcalïaidd.
13) Disgrifiwch y tueddiadau yn ymddangosiad ac adweithedd yr halogenau wrth i chi fynd i lawr y Grŵp.
14) Rhestrwch bedair o briodweddau sy'n gyffredin i'r halogenau i gyd.
15) Rhowch fanylion, gyda hafaliadau, am yr adwaith rhwng halogenau a metelau, gan gynnwys arian.
16) Rhowch fanylion, gyda hafaliadau, am adweithiau dadleoli halogenau.
17) Beth yw hydrogen clorid? Sut yn union fyddech chi'n cynhyrchu hydoddiant asid ohono?
18) Enwch ddwy ffynhonnell halen a nodwch y tair brif ffordd mae'n cael ei ddefnyddio.
19) Gwnewch ddiagram cyflawn o electrolysis halen a rhestrwch y tri chynnyrch defnyddiol sy'n dod ohono.
20) Nodwch un ffordd o ddefnyddio pob un o'r pedwar halogen: fflworin, clorin, bromin ac ïodin.
21) Nodwch y ffyrdd mae'r tri chynnyrch a ddaw o electrolysis heli yn cael eu defnyddio.
22) Rhowch ddisgrifiad llawn o liw dangosydd cyffredinol ar gyfer pob gwerth pH o 1 i 14.
23) Beth yw niwtralu?
24) Beth yw'r hafaliad ar gyfer adwaith asid gyda metel? Pa fetel(au) sydd ddim yn adweithio gydag asid?
25) Pa fath o halwynau mae asid hydroclorig ac asid sylffwrig yn eu cynhyrchu?
26) Pa fath o adwaith yw "asid + ocsid metel", neu "asid + hydrocsid metel"?
27) Beth am ocsidau anfetelau – ydyn nhw'n asidau, neu'n alcalïau?
28) Beth yw'r hafaliad ar gyfer adwaith asid gyda charbonadau?
29) Beth yw'r hafaliad ar gyfer adwaith asid gwanedig gydag amonia?
30) Pa gyfran o'r elfennau sy'n fetelau? Beth mae pob metel yn ei gynnwys?
31) Rhestrwch chwech o briodweddau metelau. Rhestrwch bedair o briodweddau anfetelau.
32) Ysgrifennwch enwau'r deuddeg metel cyffredin yn ôl trefn y Gyfres Adweithedd.
33) Ble mae carbon a hydrogen yn y Gyfres a beth yw arwyddocâd eu safleoedd?
34) Disgrifiwch adwaith pob un o'r deuddeg metel o'u gwresogi mewn aer.
35) Disgrifiwch adwaith y deuddeg metel gyda dŵr (neu ager).
36) Disgrifiwch adwaith y deuddeg metel gydag asid.
37) Esboniwch yn llawn beth sy'n digwydd wrth i chi roi hoelen haearn mewn hydoddiant copr sylffad.
38) Pa fath o adwaith yw hwn? Rhowch ddwy enghraifft arall, gyda hafaliadau.
39) Beth sy'n "arbennig" am haearn(III) ocsid o'i gymharu ag ocsidau eraill?
40) Rhestrwch dair priodwedd sydd gan y metelau trosiannol, a dwy briodwedd eu cyfansoddion.
41) Enwch chwe metel trosiannol a nodwch sut mae tri o'r metelau hyn yn cael eu defnyddio.

Cyfraddau Adweithiau

Gall Adweithiau ddigwydd ar bob math o wahanol gyfraddau

1) Un o'r adweithiau mwyaf araf yw haearn yn rhydu (ddim digon araf, serch hynny – beth am fy nghar bach i?)
2) Mae adweithiau araf yn cynnwys hindreuliad cemegol e.e. glaw asid yn niweidio adeiladau calchfaen.
3) Adwaith buanedd cymhedrol yw metel (fel magnesiwm) yn adweithio gydag asid i gynhyrchu ffrwd dawel o swigod.
4) Adwaith cyflym iawn yw ffrwydrad, sy'n digwydd ar amrantiad.

Bang
Blast
Bang

Tair ffordd o fesur Buanedd Adwaith

Mae modd nodi buanedd adwaith naill ai drwy weld pa mor gyflym mae'r adweithyddion yn cael eu defnyddio neu pa mor gyflym mae'r cynhyrchion yn ffurfio. Fel rheol, mae'n llawer haws mesur cynhyrchion yn ffurfio. Mae modd mesur buanedd adwaith mewn tair gwahanol ffordd:

1) Dyddodiad

Gwaddod yw cynnyrch yr adwaith, ac mae'r cynnyrch hwnnw'n cymylu'r hydoddiant. Mae modd i chi arsylwi drwy edrych ar farc drwy'r hydoddiant a mesur yr amser mae'n gymryd i ddiflannu.

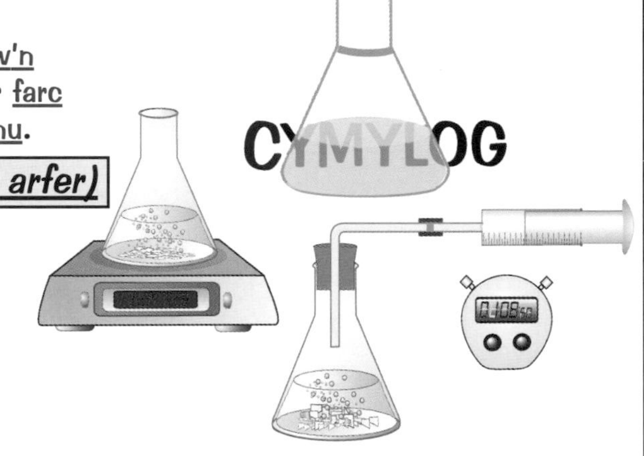

2) Newid yn y màs (nwy'n cael ei ryddhau, fel arfer)

Mae modd arsylwi ar unrhyw adwaith sy'n cynhyrchu nwy drwy wneud yr adwaith ar glorian màs; wrth i'r nwy ddianc, mae'n ddigon hawdd mesur y màs sy'n diflannu.

3) Cyfaint y nwy sy'n cael ei ryddhau

Yma, mae angen chwistrell nwy i fesur cyfaint y nwy sy'n cael ei ryddhau. A dyna'i gyd sydd ei angen.

Mae Cyfradd Adwaith yn dibynnu ar Bedwar Peth:

1) Tymheredd
2) Crynodiad — (neu'r gwasgedd yn achos nwy)
3) Maint y Gronynnau — (neu arwynebedd yr arwyneb)
4) Catalydd

DYSGWCH RHAIN!

Graffiau Nodweddiadol ar gyfer Cyfradd Adweithiau

Swm y stwff sy'n cael ei gynhyrchu
④ cyflymach, a mwy o adweithyddion
③ adwaith cyflymach fyth
② adwaith cyflymach
① adwaith gwreiddiol
Amser

1) Graff 1 sy'n cynrychioli'r adwaith gwreiddiol gweddol araf.
2) Mae graffiau 2 a 3 yn cynrychioli'r adwaith yn digwydd yn gyflymach ond gyda'r un meintiau dechreuol.
3) Gall unrhyw un o'r canlynol achosi cynnydd yn y gyfradd:
   a) cynnydd yn y tymheredd
   b) cynnydd yn y crynodiad (neu yn y gwasgedd)
   c) adweithydd solet wedi'i falu'n ddarnau mân
   ch) ychwanegu catalydd.
4) Mae graff 4 yn cynhyrchu mwy o gynnyrch, yn ogystal â mynd yn gyflymach. Dim ond drwy ddefnyddio mwy o adweithydd(ion) i ddechrau y gall hyn ddigwydd.

Sut i gael adwaith ffantastig, sydyn – d'wedwch jôc fach...

Mae'r cymysgedd rhyfeddaf o wybodaeth ar y dudalen hon. I ddysgu'r cyfan, rhaid i chi ddysgu rhannu'r wybodaeth yn dameidiau, a gwneud pob tamaid fesul un. Cofiwch ymarfer drwy guddio'r dudalen a gweld faint allwch chi ei ysgrifennu am bob tamaid. Gwnewch hyn eto, ac eto fyth...

Damcaniaeth Gwrthdrawiadau

Mae'r Ddamcaniaeth Gwrthdrawiadau yn egluro cyfraddau adweithiau yn berffaith. Mae'n hawdd. Y cyfan mae'r ddamcaniaeth yn ei ddweud yw bod cyfradd adwaith yn dibynnu ar ba mor aml a pha mor galed mae gronynnau sy'n adweithio yn taro yn erbyn ei gilydd. Y syniad yn y bôn yw bod yn rhaid i'r gronynnau wrthdaro er mwyn adweithio, a bod yn rhaid iddynt wrthdaro yn ddigon caled hefyd.

Mae Mwy o Wrthdrawiadau yn cynyddu Cyfradd yr Adwaith

Mae sawl dull o gynyddu cyfradd adwaith, ac mae modd egluro pob dull yn nhermau cynnydd yn nifer y gwrthdrawiadau rhwng y gronynnau sy'n adweithio.

1) Mae TYMHEREDD yn cynyddu nifer y gwrthdrawiadau

Pan fydd y tymheredd yn codi, bydd y gronynnau i gyd yn symud yn gyflymach, felly bydd nifer y gwrthdrawiadau yn sicr o gynyddu.

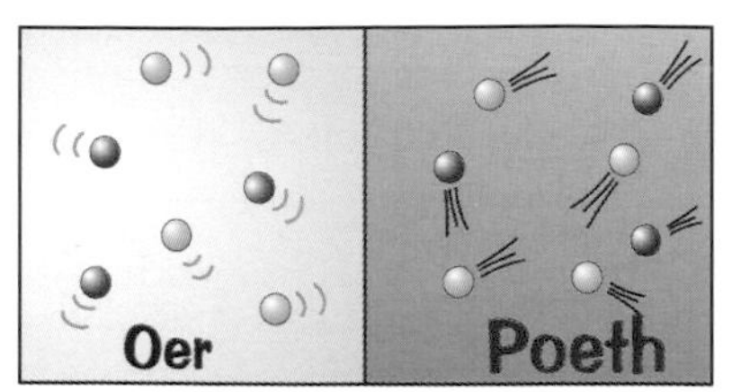

2) Mae CRYNODIAD (a GWASGEDD hefyd) yn cynyddu nifer y gwrthdrawiadau

Pan fydd hydoddiant mwy crynodedig yn cael ei baratoi, mae'n golygu bod mwy o ronynnau o'r adweithydd yn symud rhwng y moleciwlau dŵr. Felly, bydd gwrthdrawiadau rhwng y gronynnau pwysig yn fwy tebygol o ddigwydd. Mewn nwy, mae cynyddu'r gwasgedd yn golygu bod y moleciwlau wedi gwasgu'n nes at ei gilydd. Felly, bydd nifer y gwrthdrawiadau'n cynyddu.

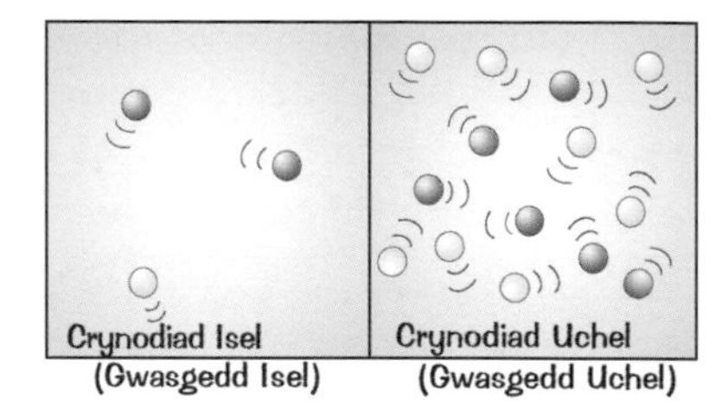

3) Mae MAINT Y GRONYNNAU SOLET (neu ARWYNEBEDD YR ARWYNEB) yn cynyddu gwrthdrawiadau

Os yw un o'r adweithyddion yn solid, yna bydd ei dorri i lawr yn ddarnau yn cynyddu arwynebedd ei arwyneb. Felly, bydd gan y gronynnau o'i amgylch yn yr hydoddiant fwy o arwynebedd i weithio arno, a bydd mwy o wrthdrawiadau defnyddiol.

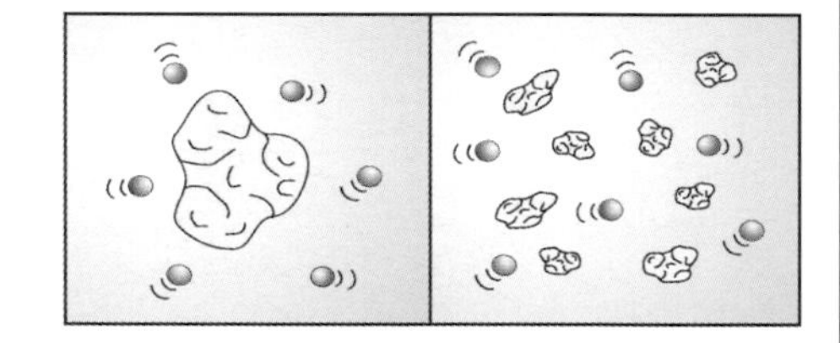

Mae Gwrthdrawiadau Cyflymach yn cynyddu Cyfradd Adwaith

Mae tymheredd uwch hefyd yn cynyddu egni y gwrthdrawiadau, oherwydd bod y gronynnau'n symud yn gyflymach.

DIM OND codi'r tymheredd sy'n gallu achosi gwrthdrawiadau cyflymach

Dim ond os yw'r gronynnau'n gwrthdaro â digon o egni – yr 'egni actifadu' – y bydd adwaith yn digwydd.

Ar dymheredd uwch bydd mwy o'r gronynnau'n gwrthdaro â digon o egni i'r adwaith ddigwydd.

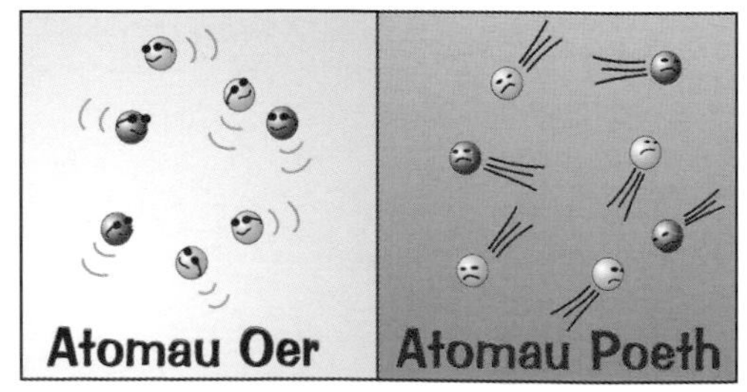

Damcaniaeth gwrthdrawiadau – ar y gyrrwr arall mae'r bai bob amser...

Rwy'n credu bod y gwaith hwn yn eithaf hawdd. Mae popeth yn weddol amlwg – unwaith y byddwch chi wedi clywed y ffeithiau, wrth gwrs. Po amlaf y bydd gronynnau'n gwrthdaro, a pho galetaf yw'r gwrthdrawiad, y cyflymaf yw cyfradd yr adwaith. Mae un neu ddau fanylyn bach arall, wrth gwrs (yr un hen stori!) ond dim ond dysgu'r cwbl sydd raid i chi ei wneud...

Pedwar Arbrawf ar Gyfraddau Adweithiau 1

Cofiwch: Mae modd defnyddio unrhyw adwaith i ymchwilio i unrhyw un o'r pedwar ffactor sy'n newid cyfradd adwaith. Mae'r tudalennau hyn yn dangos pedwar adwaith pwysig, ond dim ond un ffactor sy'n cael ei ystyried ar gyfer pob un. Byddai wedi bod yr un mor rhwydd i ni ddefnyddio, er enghraifft, adwaith sglodion marmor/asid i brofi effaith tymheredd yn lle.

1) Adwaith Asid Hydroclorig a Sglodion Marmor

Yn aml, mae'r arbrawf hwn yn cael ei ddefnyddio i ddangos effaith torri'r solid yn ddarnau llai.

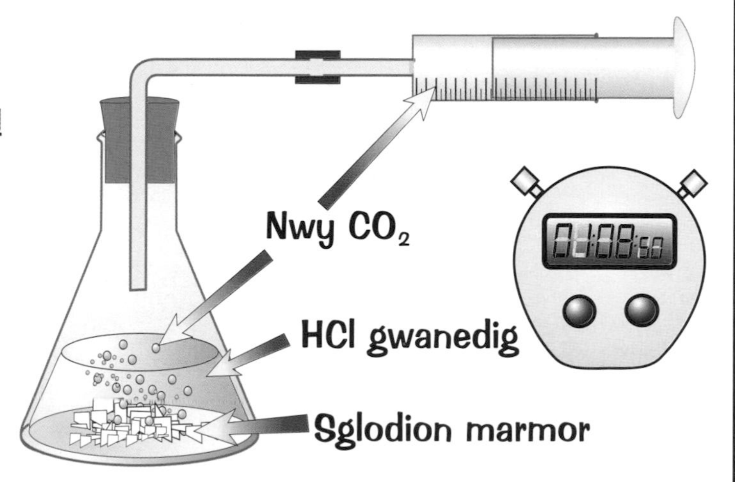

1) Mesurwch gyfaint y nwy a ryddheir â chwistrell nwy, gan nodi'r mesuriad yn rheolaidd.
2) Lluniwch dabl o'r mesuriadau, a'u plotio mewn graff.
3) Ailwnewch yr arbrawf gyda'r un cyfaint o asid yn union, a'r un màs o sglodion marmor yn union, ond gyda'r marmor wedi'i falu'n ddarnau llai.
4) Yna, ailwnewch yr arbrawf gyda'r un màs o sialc powdr yn lle sglodion marmor.

Mae'r graffiau hyn yn dangos effaith defnyddio gronynnau solid mwy mân

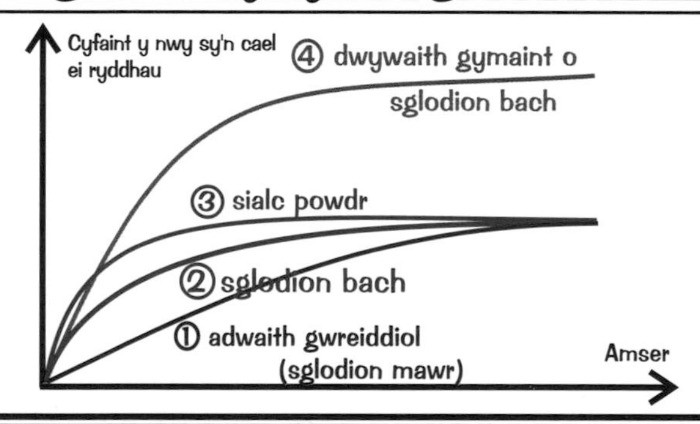

1) Mae'r cynnydd yn arwynebedd yr arwyneb yn achosi cynnydd yn nifer y gwrthdrawiadau. Felly, mae cyfradd yr adwaith yn gyflymach.
2) Mae graff 4 yn dangos yr adwaith os ychwanegir màs mwy o sglodion marmor bach.
3) Mae'r cynnydd yn arwynebedd yr arwyneb yn rhoi adwaith cyflymach a hefyd bydd mwy o nwy yn gyffredinol yn cael ei ryddhau.

2) Adwaith Metel Magnesiwm gyda HCl Gwanedig

1) Mae'r adwaith hwn yn dda ar gyfer mesur effaith cynyddu'r crynodiad, (fel y mae'r adwaith marmor/asid).
2) Mae'r adwaith hwn yn rhyddau nwy hydrogen. Gallwn fesur y nwy drwy ddefnyddio clorian màs, fel mae'r diagram yn ei ddangos. (Dull arall fyddai defnyddio chwistrell nwy, fel uchod).

Mae'r graffiau hyn yn dangos effaith defnyddio hydoddiannau asid cryfach

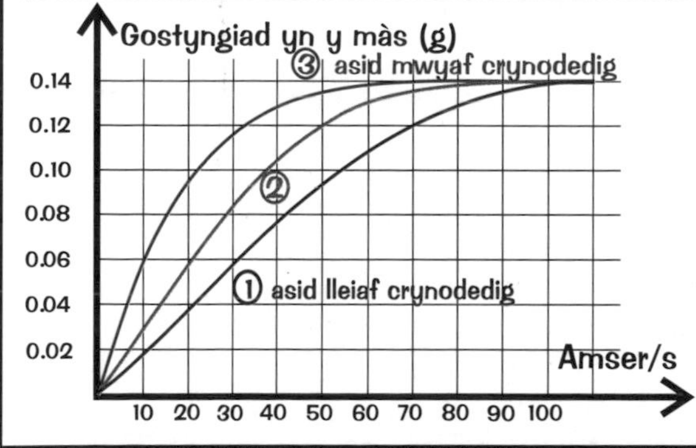

1) Nodwch y mesuriad yn rheolaidd, gyda'r un faint o amser rhwng y darlleniadau.
2) Rhowch y canlyniadau mewn tabl, a chyfrifwch y gostyngiad yn y màs ar gyfer pob darlleniad. Plotiwch graff.
3) Ailadroddwch yr arbrawf gyda hydoddiannau asid mwy crynodedig, ond gan ddefnyddio'r un faint o fagnesiwm bob tro.
4) Rhaid cadw'r un cyfaint o asid bob tro – yr unig beth sy'n cael ei gynyddu yw crynodiad yr asid.
5) Mae'r tri graff yn dangos yr un hen batrwm. Crynodiad uwch yn rhoi graff mwy serth a'r adwaith yn dod i ben yn gynt.

Pedwar Arbrawf ar Gyfraddau Adweithiau 2

3) Mae Sodiwm Thiosylffad a HCl yn cynhyrchu Gwaddod Cymylog

1) Mae'r ddau gemegyn yn hydoddiannau clir.
2) Maen nhw'n adweithio gyda'i gilydd i ffurfio gwaddod melyn o sylffwr.
3) Yn ystod yr arbrawf, rhaid gwylio marc du yn diflannu drwy'r sylffwr cymylog ac amseru faint o amser mae'n ei gymryd i wneud hyn.

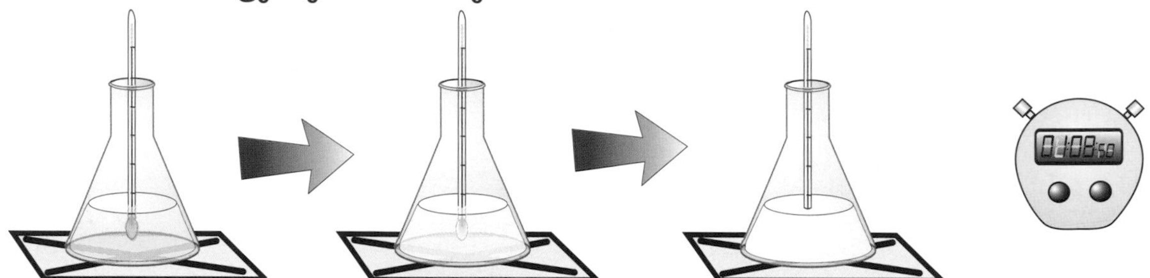

4) Mae'n bosibl ailadrodd yr arbrawf droeon gan newid tymheredd yr hydoddiant bob tro.
5) Rhaid cadw dyfnder yr hylif yr un peth bob tro, wrth gwrs.
6) Bydd y canlyniadau'n dangos bod yr adwaith yn fwy cyflym a'r marc yn cymryd llai o amser i ddiflannu, po uchaf yw'r tymheredd. Dyma ganlyniadau nodweddiadol:

Tymheredd	20°C	25°C	30°C	35°C	40°C
Yr amser mae'n cymryd i'r marc ddiflannu	193s	151s	112s	87s	52s

Mae'n bosibl ailadrodd yr arbrawf hefyd i roi prawf ar effaith crynodiad.
Dydy'r arbrawf hwn ddim yn rhoi set o graffiau, sy'n drist. Y cyfan gewch chi yw darlleniadau ar gyfer yr amser mae'n ei gymryd i'r marc ddiflannu ar bob tymheredd. Siomedig, braidd.

4) Dadelfeniad Hydrogen Perocsid

Mae hwn yn adwaith da i ddangos pa effaith mae catalyddion o wahanol fathau yn ei gael.
Dyma ddadelfeniad hydrogen perocsid:

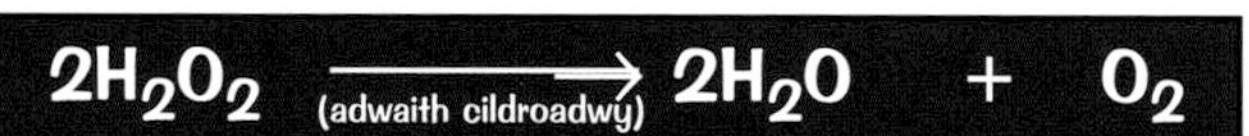

1) Fel arfer, mae'r adwaith yn eithaf araf ond mae ysgeintiad o gatalydd manganis(IV) ocsid yn cyflymu tipyn ar bethau. Catalyddion eraill sy'n gweithio yw:
   a) croen tatws a b) gwaed

Nwy O_2
Hydrogen perocsid
Catalydd

2) Bydd nwy ocsigen yn cael ei ryddhau, ac mae hyn yn ffordd ddelfrydol o fesur cyfradd yr adwaith drwy ddefnyddio'r un hen chwistrell nwy.

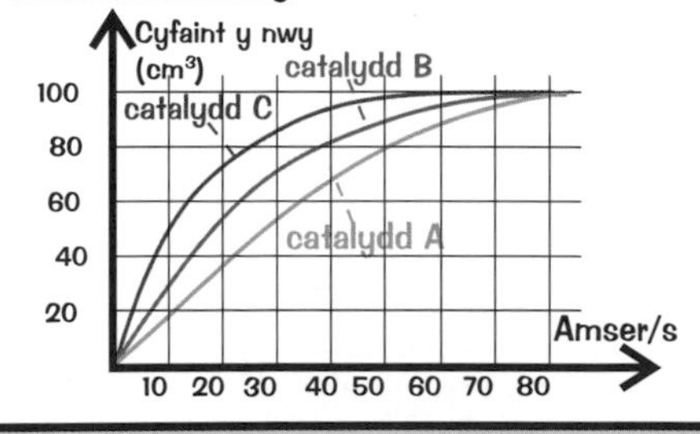

1) Yr un hen graffiau wrth gwrs.
2) Mae gwell catalyddion yn rhoi adwaith cyflymach, ac mae'r graff mwy serth sy'n lefelu'n gyflym yn dangos hyn.
3) Mae modd defnyddio'r adwaith hwn hefyd er mwyn mesur effaith tymheredd, neu i fesur crynodiad yr hydoddiant H_2O_2. Bydd y graffiau i gyd yn edrych yr un peth â'i gilydd.

Pedwar Adwaith Da – dysgwch a mwynhewch...

Mae cymaint yn digwydd bob amser yn achos cyfraddau adweithiau. Ydych chi'n edrych ar y cynnyrch, neu'r adweithyddion? Ydych chi'n astudio effaith y tymheredd, y crynodiad, y catalydd, neu arwynebedd yr arwyneb? Mae cymaint yn digwydd, ond eich gwaith chi yw trefnu'r cyfan a'i ddysgu.

Catalyddion

Mae modd cyflymu nifer fawr o adweithiau drwy ychwanegu catalydd.

Sylwedd yw catalydd sy'n cynyddu cyflymder adwaith.
Dydy'r adwaith ddim yn newid y catalydd, nac yn treulio'r catalydd 'chwaith.

1) Mae Catalyddion yn gweithio orau pan fydd Arwynebedd Arwyneb mawr ar gael

1) Powdr, pelen neu ar ffurf rhwyllen fân fydd catalyddion fel rheol.
2) Mae hyn yn rhoi'r arwynebedd arwyneb mwyaf, er mwyn i'r gronynnau adweithiol gael cwrdd â'i gilydd a gwneud eu gwaith.

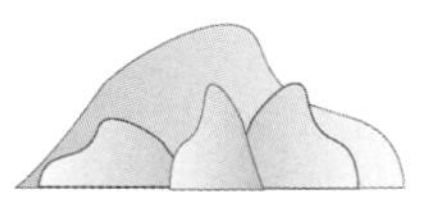

Powdr Catalydd

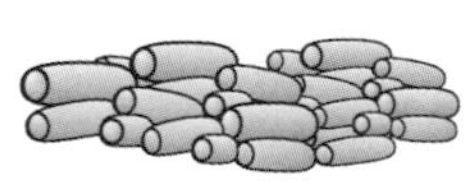
Pelenni Catalydd

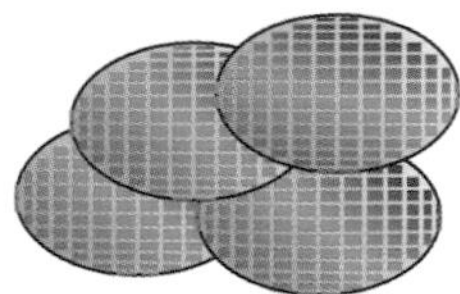
Rhwyllenni Catalydd

2) Mae Catalyddion yn helpu i leihau costau mewn Adweithiau Diwydiannol

1) Mae catalyddion yn cynyddu cyfraddau nifer o adweithiau diwydiannol. Mae hyn yn arbed llawer o arian oherwydd does dim rhaid i'r gwaith fod wrthi am gymaint o amser er mwyn cynhyrchu'r un faint.
2) Ar y llaw arall, mae catalydd weithiau yn galluogi i'r adwaith ddigwydd ar dymheredd lawer iawn is, gan arbed tipyn o arian. Felly, mae rhesymau masnachol yn gwneud catalyddion yn bwysig iawn.
3) Caiff catalyddion eu defnyddio trosodd a thro. Dydyn nhw ddim yn treulio, er efallai y bydd angen eu glanhau.

3) Mae metelau trosiannol yn gatalyddion cyffredin

1) Caiff metelau trosiannol eu defnyddio yn gatalyddion mewn nifer o adweithiau diwydiannol.
2) Bydd adweithiau gwahanol yn defnyddio catalyddion gwahanol. Gwnewch yn berffaith sicr eich bod yn gwybod y ddau hyn:

a) Defnyddir catalydd Haearn yn ystod Proses Haber

(gweler T.25)

$$N_{2\,(n)} + 3H_{2\,(n)} \xrightarrow[\text{adwaith cildroadwy}]{\text{Catalydd Haearn}} 2NH_{3\,(n)}$$

b) Defnyddir catalydd Platinwm wrth gynhyrchu Asid Nitrig

(gweler T.26)

$$\text{Amonia} + \text{Ocsigen} \xrightarrow{\text{Catalydd Platinwwm}} \text{Nitrogen monocsid} + \text{Dŵr}$$

4) Mae Trawsnewidwyr Catalytig mewn Ceir yn cynnwys Platinwm

1) Mae'r rhain yn cael eu gosod yn systemau gwacáu pob car newydd.
2) Mae nwyon gwacáu cyffredin yn cynnwys petrol heb losgi, carbon monocsid, ac ocsidau nitrogen.
3) Mae'r nwyon gwacáu hyn yn creu llygredd mawr, ond mae trawsnewidydd catalytig yn achosi adwaith rhyngddyn nhw i gynhyrchu nwyon diniwed:- nitrogen, ocsigen, carbon deuocsid ac anwedd dŵr.

Mae catalydd fel jôc dda – mae'n iawn ei ddefnyddio drosodd a thro...

Gwnewch yn siŵr eich bod chi'n dysgu'r diffiniad yn y bocs ar ben y dudalen air am air.
Y gwir yw y gellwch gael y cwestiwn: *"Beth yw catalydd?" (Dau farc).*
Mae'r cwestiwn yn haws o lawer ei ateb os byddwch wedi dysgu diffiniad "gair am air".
Os nad ydych chi'n cofio'r diffiniad, gallech golli hanner y marciau. Wir i chi.

Catalyddion Biolegol — Ensymau

Ensymau yw Catalyddion sy'n cael eu cynhyrchu gan Bethau Byw.

1) Y tu mewn i bethau byw, mae prosesau cemegol wrth y miloedd yn digwydd.
2) Gorau i gyd po gyflymaf y bydd y prosesau cemegol hyn yn digwydd, ac mae codi tymheredd y corff yn ffordd dda o'u cyflymu.
3) Er hyn, mae terfan ar ba mor uchel y gall y tymheredd gael ei godi cyn dechrau niweidio celloedd. Felly, mae pethau byw yn cynhyrchu ensymau hefyd, sy'n gweithio fel catalyddion fydd yn cyflymu yr holl adweithiau cemegol hyn heb fod eisiau tymheredd uchel.
4) Dim ond o fewn amrediad tymheredd cul y bydd yr ensymau eu hunain yn gweithio'n dda.
5) Mae gan bob gwahanol broses fiolegol ei hensym ei hun, a'r ensym wedi'i gynllunio'n arbennig ar gyfer y broses honno.
6) Er enghraifft, mae ensym penodol yn rheoli'r ffordd mae afal yn troi'n frown ar ôl ei dorri.
7) Erbyn hyn, mae pobl wedi dechrau defnyddio catalyddion biolegol fwyfwy at eu dibenion eu hunain.
8) Mae gan ensymau nifer o fanteision dros gatalyddion anorganig traddodiadol:
   a) Mae amrywiaeth enfawr o ensymau.
   b) Dydyn nhw ddim yn brin fel nifer o gatalyddion metel, e.e. platinwm.
   c) Maen nhw'n gweithio orau ar dymereddau isel, sy'n cadw'r gost i lawr.
   ch) Mae modd eu dewis yn ofalus ar gyfer gwneud rhyw waith penodol.

Enghreifftiau: powdr golchi "biolegol"; powdr peiriant golchi llestri, a hefyd gwaith trin lledr.

Mae Ensymau yn Hoffi bod Yn Gynnes ond Ddim yn Rhy Boeth

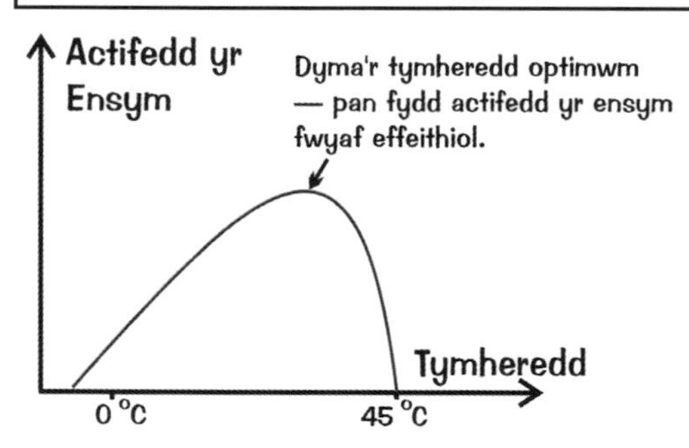

1) Mae'r adweithiau cemegol mewn celloedd byw yn eithaf cyflym o dan amodau cynnes yn hytrach nag amodau poeth.
2) Y rheswm am hyn yw bod y celloedd yn defnyddio catalyddion o'r enw ensymau, sydd yn foleciwlau protein.
3) Fel rheol, bydd ensymau'n cael eu niweidio ar dymereddau uwch nag oddeutu 45°C ac, fel mae'r graff yn dangos, mae actifedd yr ensymau yn gostwng yn gyflym wrth i'r tymheredd fynd ychydig yn rhy uchel.

Mae Ensymau yn hoffi'r pH cywir hefyd

Mae'r pH yn effeithio ar actifedd ensymau, mewn modd tebyg i'r tymheredd.

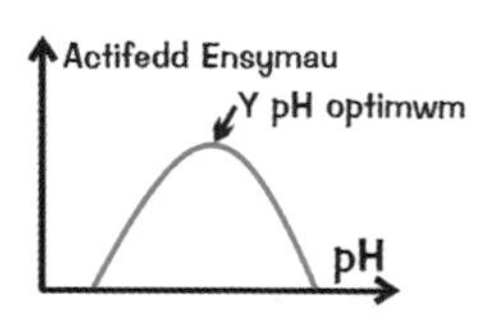

Mae rhewi bwyd yn atal actifedd yr ensymau (a'r bacteria)

1) Mae actifedd ensymau yn gostwng yn gyflym hefyd ar dymereddau is.
2) Erbyn cyrraedd 0°C does braidd dim byd yn digwydd.
3) Dyma'r syniad sydd y tu ôl i broses reweiddiad, lle mae bwyd yn cael ei gadw ar dymheredd o oddeutu 4°C er mwyn cadw gweithgaredd ensymau a bacteria mor isel â phosib i gadw'r bwyd yn ffres yn hirach.
4) Mae rhewgelloedd yn storio bwyd ar oddeutu -20°C, a dydy bacteria nac ensymau ddim yn gweithio o gwbl ar y tymheredd hwn.
5) Fodd bynnag, dydy bacteria ac ensymau ddim yn cael eu dinistrio wrth rewi ac, wedi i'r bwyd ddadmer, maen nhw'n ailddechrau gweithio'n syth. Felly, mae'n bwysig bod yn ofalus wrth ddadmer bwyd wedi'i rewi a'i goginio unwaith eto cyn ei fwyta.
6) Mae coginio'n dinistrio pob bacteria ac ensymau, felly mae bwyd sydd wedi'i goginio'n iawn yn ddiogel i'w fwyta.
7) Er hyn, bydd hyd yn oed bwyd sydd wedi'i goginio yn troi yn eithaf cyflym os caiff ei adael mewn lle cynnes.

"Ensymau" — mae'n swnio fel tabledi i'ch helpu gyda Mathemateg...

Mae'r dudalen hon yn bendant yn haeddu traethawd byr. Dau draethawd byr, a dweud y gwir. Beth arall alla'i ddweud? Ysgrifennwch y ffeithiau i gyd, yna edrychwch dros y cyfan, i weld beth sy'n eisiau.

Defnyddio Ensymau 1

Mae celloedd byw yn defnyddio adweithiau cemegol i gynhyrchu defnyddiau newydd. Mae nifer o'r adweithiau hyn yn rhoi cynhyrchion defnyddiol i ni. Ar y dudalen hon, mae tair enghraifft bwysig:

Burum wrth fragu Cwrw a Gwin: Eplesiad

1) Mae celloedd burum yn trawsnewid siwgr i roi carbon deuocsid ac alcohol.
2) Defnyddio ensym o'r enw symas sy'n eu galluogi i wneud hyn.
3) Y prif beth yw cadw'r tymheredd yn hollol gywir.
4) Os yw'n rhy oer, fydd yr ensym ddim yn gweithio yn ddigon cyflym.
5) Os yw'n rhy boeth, bydd yr ensym yn cael ei ddinistrio.
6) Eplesiad yw enw'r broses fiolegol hon, sy'n cael ei defnyddio i wneud diodydd alcoholig megis cwrw a gwin.

Eplesiad yw'r broses lle mae burum yn trawsnewid siwgr i roi carbon deuocsid ac alcohol.

$$\text{Glwcos} \xrightarrow{\text{Symas}} \text{Carbon deuocsid} + \text{Ethanol} \ (+ \text{Egni})$$

Burum wrth wneud Bara: Eplesiad eto

1) Yr un peth yn union yw'r adwaith sy'n digwydd wrth wneud bara a'r adwaith yn ystod bragu.
2) Mae celloedd burum yn defnyddio'r ensym symas i dorri siwgr i lawr, a dyma sy'n rhoi egni i'r celloedd.
3) Mae'r adwaith yn rhyddhau cynhyrchion gwastraff hefyd, sef nwy carbon deuocsid ac alcohol.
4) Mae'r nwy carbon deuocsid yn cael ei ryddhau drwy'r cymysgedd bara i gyd, ac yn ffurfio swigod drwyddo.
5) O achos hyn, bydd y bara yn codi, gyda'r gwead cyfarwydd. Bydd yr ychydig alcohol sy'n cael ei gynhyrchu hefyd yn rhoi mwy o flas i'r bara, mae'n siŵr.
6) Mae rhoi'r bara yn y popty yn lladd y burum ac mae'r adwaith yn dod i ben.

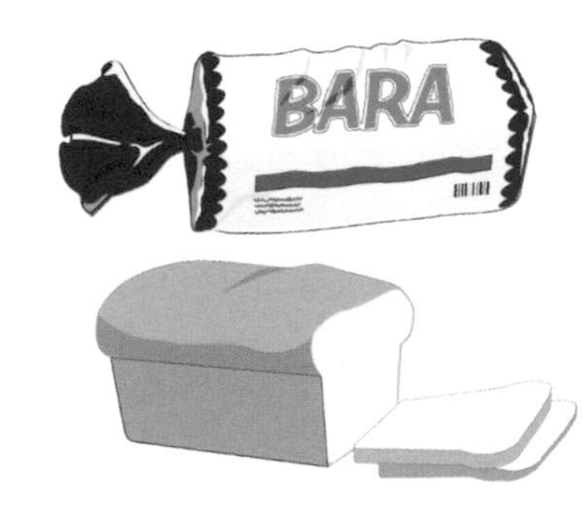

Mae Ensymau'n cael eu defnyddio i wneud pethau rhyfedd i'n bwyd

1) Bydd y proteinau mewn rhai bwydydd baban yn cael eu 'rhagdreulio' drwy ddefnyddio ensymau treulio protein (proteasau).
2) Mae modd meddalu llenwad siocledi drwy ddefnyddio ensymau.
3) Gall ensymau droi syryp starts (ych-a-fi!) yn syryp siwgr (blasus iawn!).
4) Mae modd defnyddio ensymau i droi syryp glwcos yn syryp ffrwctos. Mae ffrwctos yn fwy melys, felly does dim angen cymaint ohono – sy'n dda ar gyfer bwyd a diod colli pwysau.

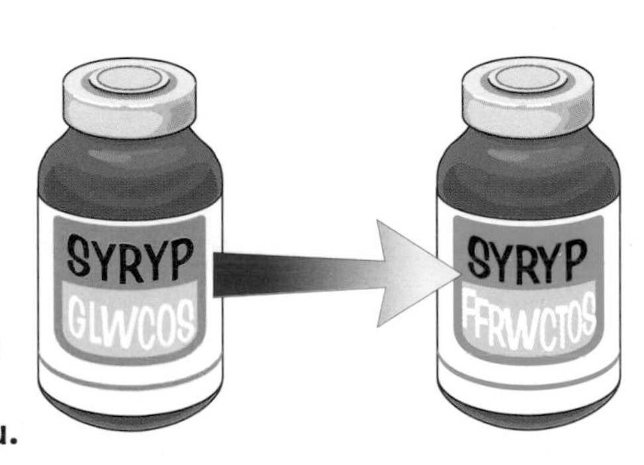

Defnyddio Ensymau 2

Gwneud Caws a Iogwrt – dim ond llaeth Pasteuredig

1) Mae'n rhaid defnyddio llaeth pasteuredig i wneud caws a iogwrt, oherwydd bod bacteria diangen mewn llaeth ffres, a byddai'r bacteria yn rhoi blas cas.
2) Yn lle defnyddio llaeth ffres, mae llaeth pasteuredig yn cael ei gymysgu â bacteria sy'n cael ei dyfu mewn meithriniad arbennig.
3) Caiff y cymysgedd hwn ei gadw ar y tymheredd delfrydol, er mwyn i'r bacteria a'r ensymau weithio.
4) Ar gyfer iogwrt, mae'r tymheredd hwn yn weddol boeth, oddeutu 45°C.
5) Mae'r bacteria gwneud iogwrt yn trawsnewid lactos (y siwgr naturiol sydd mewn llaeth) yn asid lactig. Dyma sy'n rhoi'r blas sir, braidd, i iogwrt.
6) Ar y llaw arall, mae caws yn aeddfedu'n well o dan amodau oerach.
7) Mae modd defnyddio amrywiaeth o ensymau bacteriol ar gyfer gwneud caws, i roi gwead a blas o wahanol fathau.

Mae ensymau'n cael eu defnyddio mewn Sebon Golchi Biolegol

1) Ensymau yw'r cynhwysion "biolegol" mewn powdr a sebon golchi biolegol.
2) Ensymau treulio protein (proteasau) neu ensymau treulio brasterau (lipasau) yw'r rhan fwyaf o'r rhain.
3) Oherwydd bod yr ensymau'n ymosod ar sylwedd llysieuol a sylwedd anifail, maen nhw'n ddelfrydol ar gyfer cael gwared ar staeniau, megis bwyd neu waed.

Mae defnyddio Ensymau mewn Diwydiant yn dipyn o gamp

1) Mewn proses ddiwydiannol, rhaid i'r tymheredd a'r pH fod yn gywir er mwyn peidio â niweidio'r ensymau, a'u cadw i weithio mor hir â phosib.
2) Rhaid cadw'r ensymau rhag golchi i ffwrdd. Gellir eu cymysgu weithiau â gleiniau plastig, neu eu dal mewn gwely alginad (stwnsh gwymon).
3) Oherwydd bod ensymau'n gweithio am amser hir, gallwch basio cemegion drostyn nhw yn barhaus i gynnal yr adwaith, a thynnu'r cynnyrch allan y pen arall.

Mae'r stwff yma i gyd mor rhwydd – mae'n dipyn o bicnic...

Mae'r llyfr hwn yn prysur droi'n llyfr Gwyddor Cartref. Beth bynnag, mae disgwyl i chi wybod holl fanylion gwneud bara, caws, iogwrt, mathau od o siwgr, bwyd baban, sebon golchi, a'r darn yna am ddiwydiant. Traethodau byr amdani. Mwynhewch!

Adweithiau Cildroadwy Syml

Adwaith cildroadwy yw un sy'n gallu mynd i'r ddau gyfeiriad. Mewn geiriau eraill, mae modd troi cynnyrch yr adwaith yn ôl i ailffurfio'r adweithyddion gwreiddiol.
Dyma rai enghreifftiau y dylech wybod amdanyn nhw rhag ofn i chi eu gweld ar y papur Arholiad.

Dadelfeniad Thermol Amoniwm Clorid

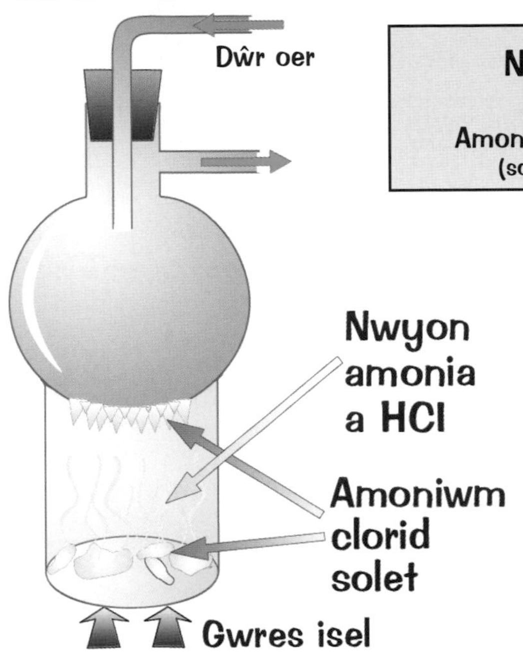

$$NH_4Cl_{(s)} \underset{}{\overset{\text{cildroadwy}}{\rightleftharpoons}} NH_{3\,(n)} + HCl_{(n)}$$

Amoniwm clorid (solid gwyn) ⇌ (cildroadwy) amonia + hydrogen clorid (nwyon di-liw)

1) Mae gwresogi amoniwm clorid yn ei hollti yn nwy amonia a nwy HCl.
2) Wrth oeri, mae'r nwyon hyn yn ailgyfuno i ffurfio amoniwm clorid solet.
3) Mae hwn yn adwaith cildroadwy nodweddiadol oherwydd bod y cynhyrchion yn ailgyfuno i ffurfio'r sylweddau gwreiddiol yn hawdd dros ben.
4) Mae adweithiau cildroadwy yn defnyddio'r symbol $\rightleftharpoons$ i ddangos eu bod yn gallu mynd i'r ddau gyfeiriad.

Dadelfeniad Thermol copr sylffad hydradol

1) Ein hen ffrindiau, grisialau copr(II) sylffad glas, sydd yma unwaith eto.
2) Yr un hen dric sydd ganddyn nhw yma hefyd, ond ar ffurf adwaith cildroadwy.
3) Ond i chi eu gwresogi, mae'r dŵr yn cael ei yrru ymaith, gan adael powdr copr(II) sylffad anhydrus gwyn.

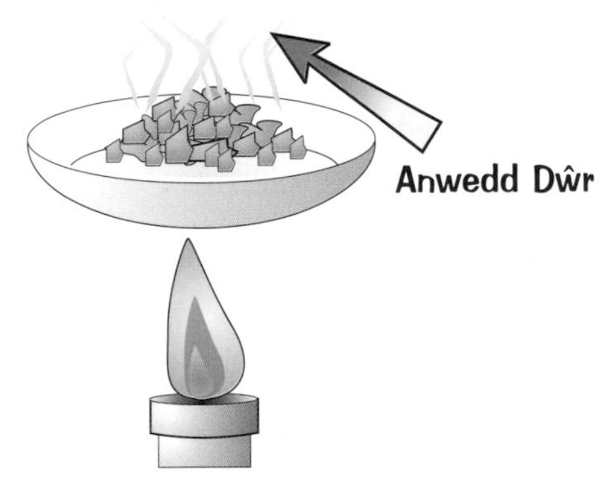

4) Yna, ond i chi ychwanegu ychydig ddiferion o ddŵr at y powdr gwyn, byddwch yn gweld y grisialau glas eto.

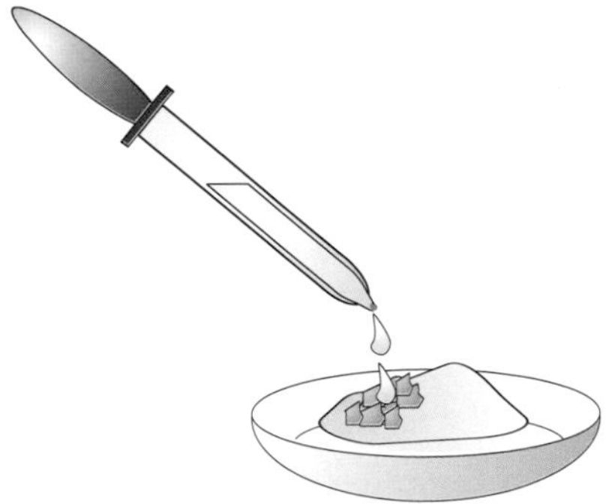

Enw cywir y grisialau glas yw Copr(II)sylffad hydradol.
Ystyr "hydradol" yw "gyda dŵr".
Wrth i chi yrru'r dŵr ymaith, mae'r grisialau'n troi'n bowdr gwyn, Copr(II) sylffad anhydrus.
Ystyr "anhydrus" yw "heb ddŵr".

Dysgwch yr adweithiau syml hyn, yna edrychwch i weld faint ydych chi'n ei wybod...

Dyma ddwy enghraifft syml, ardderchog, o adweithiau cildroadwy.
Mae'n eithaf posib y cewch chi gwestiwn amdanyn nhw yn yr arholiad. Does dim llawer i'w ddysgu yma, wir. Ysgrifennwch bopeth i lawr.

Adweithiau Cildroadwy mewn Ecwilibriwm

Adwaith cildroadwy yw un lle mae'r cynhyrchion yn gallu adweithio gyda'i gilydd i roi'r cemegion gwreiddiol. Mewn geiriau eraill, mae'r adwaith yn gallu mynd i'r ddau gyfeiriad.

Adwaith cildroadwy yw adwaith lle mae cynhyrchion YR ADWAITH yn gallu adweithio eu hunain I GYNHYRCHU yr adweithyddion gwreiddiol.

$$A + B \rightleftharpoons C + D$$

Bydd adweithiau Cildroadwy yn cyrraedd Ecwilibriwm Dynamig

1) Os yw adwaith cildroadwy yn digwydd o fewn system gaeedig, yna bydd yn cyrraedd cyflwr o ecwilibriwm bob tro.
2) Ystyr ecwilibriwm yw bod symiau cymharol (%) o'r adweithyddion a'r cynhyrchion yn cyrraedd cydbwysedd penodol ac yn aros yno. Ystyr "system gaeedig" yw nad oes unrhyw un o'r adweithyddion na'r cynhyrchion yn gallu dianc.
3) Mewn gwirionedd, mae'n ecwilibriwm dynamig, sy'n golygu bod yr adweithiau yn para i ddigwydd i'r ddau gyfeiriad, ond mai sero yw cyfanswm yr effaith, oherwydd bod y blaenadwaith a'r ôl-adwaith yn canslo'i gilydd. Mae'r adweithiau'n digwydd ar union yr un gyfradd i'r ddau gyfeiriad.

Ecwilibriwm Dynamig

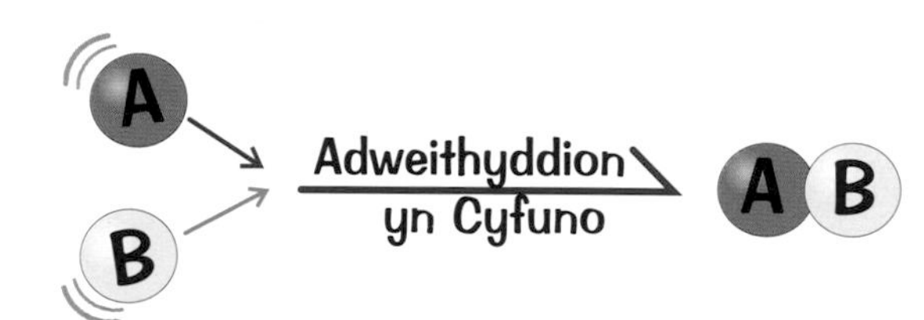

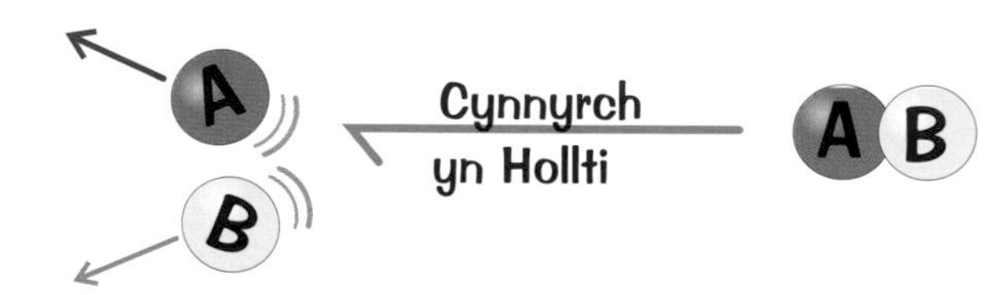

Newid y Tymheredd a'r Gwasgedd er mwyn cael Mwy o Gynnyrch

1) Mewn adweithiau cildroadwy mae "safle'r ecwilibriwm" (symiau cymharol yr adweithyddion a'r cynhyrchion) yn dibynnu'n fawr iawn ar y tymheredd a'r gwasgedd o amgylch yr adwaith.
2) Wrth newid y tymheredd a'r gwasgedd yn fwriadol, gallwn symud "safle'r ecwilibriwm" i roi mwy o gynnyrch a llai o adweithyddion.

Dwy reol syml iawn ar gyfer y cyfeiriad y bydd yr ecwilibriwm yn symud iddo

1) Mae pob adwaith yn ecsothermig i un cyfeiriad ac yn endothermig i'r cyfeiriad arall.
   Mae codi'r tymheredd yn cynyddu'r adwaith endothermig, er mwyn defnyddio'r gwres ychwanegol.
   Mae gostwng y tymheredd yn cynyddu'r adwaith ecsothermig, er mwyn rhyddhau mwy o wres.

2) Mae cyfaint uwch ar un ochr mewn nifer o adweithiau, naill ai o'r cynhyrchion neu o'r adweithyddion.
   Mae cynyddu'r gwasgedd yn annog adwaith sy'n cynhyrchu cyfaint llai.
   Mae gostwng y gwasgedd yn annog adwaith sy'n cynhyrchu cyfaint mwy.

Mae egwyddor Le Chatelier yn crynhoi'r cyfan yn gryno drwy ddweud:

Os bydd newid yn yr amodau, bydd safle'r ecwilibriwm yn symud er mwyn gwrthwynebu'r newid

(Ffrancwr oedd Le Chatelier, rwy'n credu. Holwch yn y dosbarth i weld a ddylech ddysgu mwy amdano, ac am ei egwyddor.)

Dysgu/anghofio – yr adwaith cildroadwy mwya' dychrynllyd...

Mae tair adran yma: diffiniad adwaith cildroadwy, syniad ecwilibriwm dynamig, ac Egwyddor Le Chatelier. Gwnewch yn berffaith sicr eich bod yn gwybod y cyfan yn dda.

Proses Haber eto

Mae mwy o fanylion am Broses Haber ar dudalen 25.

Adwaith Cildroadwy rheoledig yw Proses Haber

Dyma'r hafaliad:

$$N_{2\,(n)} + 3H_{2\,(n)} \rightleftharpoons 2NH_{3\,(n)}$$

Mae ΔH yn –if (gweler T. 79), h.y. mae'r blaenadwaith yn ecsothermig

Bydd Gwasgedd Uwch yn ffafrio'r Blaenadwaith felly adeiladwch ffatri gref...

1) Ar ochr chwith yr hafaliad, mae pedwar môl o nwy (N_2 + $3H_2$) ond, ar yr ochr dde, does dim ond dau fôl (o NH_3).
2) Felly, bydd cynyddu'r gwasgedd yn ffafrio'r blaenadwaith i gynhyrchu mwy o amonia.
   Felly, peth syml yw penderfynu beth i'w wneud â'r gwasgedd. Mae'n cael ei osod mor uchel â phosib i roi'r % gorau o gynnyrch heb i'r gweithfeydd fod yn rhy ddrud i'w hadeiladu. Gwasgeddau nodweddiadol sy'n cael eu defnyddio yw rhwng 200 a 350 atmosffer.

(Mae defnyddio Egwyddor Le Chatelier yn rhoi'r un canlyniad. Mae'r ecwilibriwm yn symud i ffafrio mwy o amonia, oherwydd bydd hynny'n lleihau cyfaint y nwy yn y system, felly bydd yn ceisio lleihau'r cynnydd yn y gwasgedd y byddwn yn ei ddefnyddio.)

BYDDAI tymheredd is yn ffafrio'r Blaenadwaith OND...

Mae'r adwaith yn un ecsothermig wrth fynd ymlaen, sy'n golygu y byddai codi'r tymheredd yn symud yr ecwilibriwm y ffordd anghywir, oddi wrth yr amonia, a mwy tuag at H_2 ac N_2.

Ond maen nhw'n codi'r tymheredd beth bynnag... dyma'r darn anodd, felly dysgwch y pwyntiau'n dda:

Dysgwch:

1) Dim ond gostwng y tymheredd sy'n gallu cynyddu cyfran yr amonia ar ecwilibriwm.
2) Yn lle hynny, maen nhw'n codi'r tymheredd yn y ffatri, ac yn derbyn y cyfran is (neu'r cynnyrch is) o amonia.
3) Y rheswm am hyn yw bod y tymheredd uwch yn rhoi cyfradd adwaith dipyn uwch.
4) Mae'n well aros dim ond 20 eiliad am y cynnyrch o 10%, nag aros am 60 eiliad i gael cynnyrch o 20%.
5) Cofiwch fod yr hydrogen, H_2, a'r nitrogen, N_2, sydd heb gael eu defnyddio yn cael eu hailgylchu. Felly, does dim byd yn cael ei wastraffu.

Mae'r Catalydd Haearn yn Cyflymu'r adwaith ac yn cadw'r costau i lawr

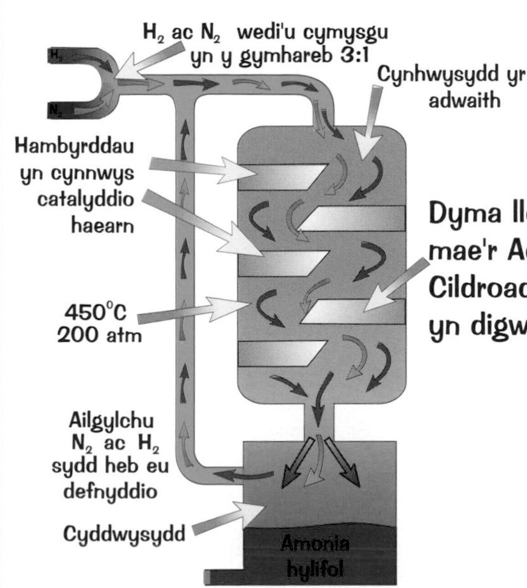

1) Mae'r catalydd haearn yn gwneud i'r adwaith fynd yn gyflymach, sy'n golygu y bydd yn cyrraedd cyfrannau ecwilibriwm yn gynt. Ond cofiwch, dydy'r catalydd ddim yn effeithio ar safle'r ecwilibriwm (h.y. % y cynnyrch).
2) Heb gatalydd, byddai'n rhaid codi'r tymheredd yn uwch fyth er mwyn i'r adwaith ddigwydd yn ddigon cyflym a byddai hyn yn lleihau % y cynnyrch hyd yn oed yn fwy. Felly mae'r catalydd yn bwysig iawn.
3) Byddai symud y cynhyrchion yn ddull effeithiol o wella % y cynnyrch, gan fod yr adwaith yn chwilio am ecwilibriwm tra bo'r cynnyrch yn mynnu diflannu. Yn y pen draw, caiff y cwbl ei drawsnewid.
4) Does dim modd gwneud hyn yn ystod Proses Haber, oherwydd does dim modd symud yr amonia nes i'r cymysgedd oeri, a'r amonia gyddwyso allan.

Dysgu Proses Haber – mae fel trai a llanw...

Os cewch chi gwestiwn am unrhyw adwaith cildroadwy yn yr arholiad, mae'n eithaf tebyg mai dyma'r un! Y rhan anodd yw cofio bod y tymheredd yn cael ei godi NID er mwyn gwella'r ecwilibriwm, ond er mwyn cyflymu'r adwaith. Ysgrifennwch draethawd byr i nodi popeth rydych chi'n ei gofio am ecwilibriwm a'r broses Haber.

Trosglwyddo Egni mewn Adweithiau

Pryd bynnag y bydd adweithiau cemegol yn digwydd, bydd egni fel rheol yn cael ei drosglwyddo naill ai i'r amgylchedd neu oddi wrtho.

Mewn Adwaith Ecsothermig mae Gwres yn cael EI RYDDHAU

Mae adwaith ECSOTHERMIG yn rhyddhau egni i'r amgylchedd, fel rheol ar ffurf gwres, ac mae cynnydd yn y tymheredd yn dangos hyn fel arfer hefyd.

1) Yr enghraifft orau o adwaith ecsothermig yw llosgi tanwyddau.
   Wrth gwrs, mae hwn yn rhyddhau llawer o wres – mae'n ecsothermig iawn.

2) Mae adweithiau niwtralu (asid + alcali) hefyd yn ecsothermig.

3) Er mwyn troi copr(II) sylffad anhydrus yn grisialau glas, rhaid ychwanegu dŵr, ac mae hyn yn cynhyrchu gwres, felly rhaid ei fod yn adwaith ecsothermig.

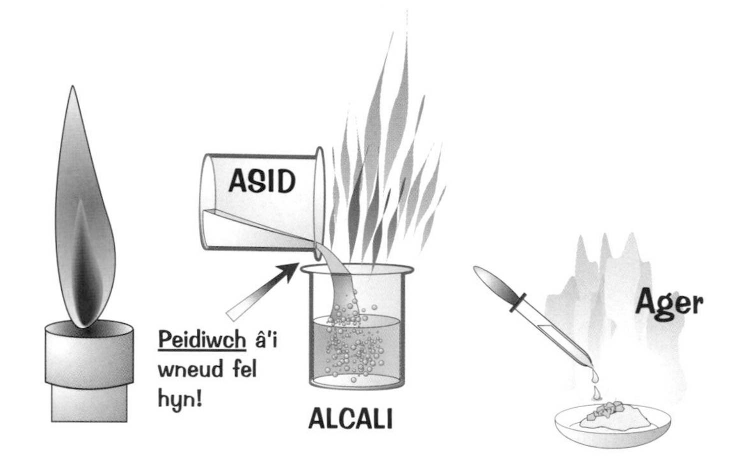

Mewn Adwaith Endothermig mae Gwres yn cael EI DYNNU I MEWN

Mae adwaith ENDOTHERMIG yn amsugno egni o'r amgylchedd, fel rheol ar ffurf gwres, ac mae gostyngiad yn y tymheredd yn dangos hyn fel arfer hefyd.

Mae adweithiau endothermig yn llai cyffredin ac yn llai hawdd eu darganfod.
Felly DYSGWCH y ddwy enghraifft, rhag ofn i chi gael cwestiwn am un o'r rhain:

1) Ffotosynthesis

Mae ffotosynthesis yn endothermig oherwydd ei fod yn amsugno egni o'r Haul.

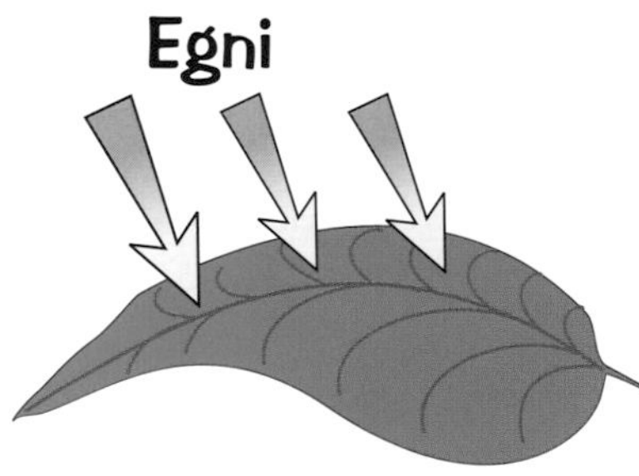

2) Dadelfeniad thermol

Er mwyn dadelfennu cyfansoddyn, rhaid darparu gwres.
Yr enghraifft orau yw newid calsiwm carbonad i roi calch brwd (calsiwm ocsid – gweler T. 24)

$$CaCO_3 \rightarrow CaO + CO_2$$

Mae angen llawer o egni gwres er mwyn i hyn ddigwydd.
A dweud y gwir mae'n rhaid gwresogi'r calsiwm carbonad mewn odyn a'i gadw ar dymheredd o tua 800°C.
Mae'n cymryd bron 30,000 kJ o wres er mwyn sicrhau bod 10 kg o'r calsiwm carbonad yn dadelfennu.
Eitha' endothermig, a dweud y lleia'!

Trosglwyddo Egni a Gwres – cofiwch gymryd y cyfan i mewn...

Mae'r holl ffeithiau am adweithiau ecsothermig ac endothermig yn eitha' syml mewn gwirionedd. Does dim ond rhaid i chi ddod i arfer â'r geiriau mawr. Bydd yn werth i chi gael ambell enghraifft yn barod ar gyfer yr arholiad hefyd. Dysgwch y cwbl, yna cuddiwch y dudalen, ac ysgrifennwch bopeth y gallwch ei gofio.

Trosglwyddo Egni mewn Adweithiau

Rhaid Cyflenwi Egni bob amser i Dorri Bondiau...

Yn ystod adwaith cemegol, mae'r hen fondiau yn cael eu torri a bondiau newydd yn cael eu ffurfio.

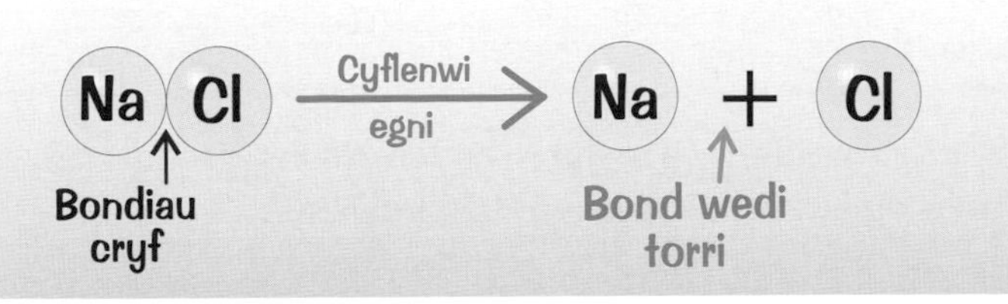

Rhaid cyflenwi egni er mwyn torri bondiau sy'n bodoli eisoes – felly, mae torri bondiau yn broses endothermig.

...a bydd Egni bob amser yn cael Ei Ryddhau pan fydd Bondiau'n Ffurfio

Bydd egni'n cael ei ryddhau pan fydd bondiau newydd yn cael eu ffurfio – felly, mae ffurfio bondiau yn broses ecsothermig.

Mae'r newid yn yr egni yn dangos a yw adwaith yn Ecso- neu'n Endo-thermig

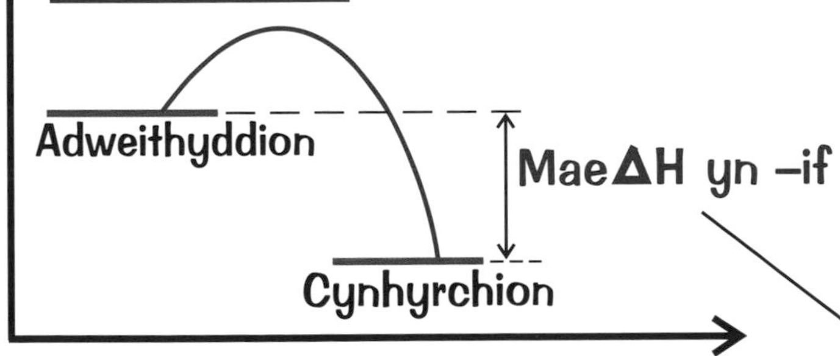

(ΔH yw'r gwahaniaeth egni rhwng yr adweithyddion a'r cynhyrchion.)

Adweithiau ecsothermig

1) Mae hwn yn dangos adwaith ecsothermig oherwydd bod y cynhyrchion ar lefel egni is na'r adweithyddion
2) Mae'r gwahaniaeth uchder yn cynrychioli'r egni sy'n cael ei ryddhau yn ystod yr adwaith.

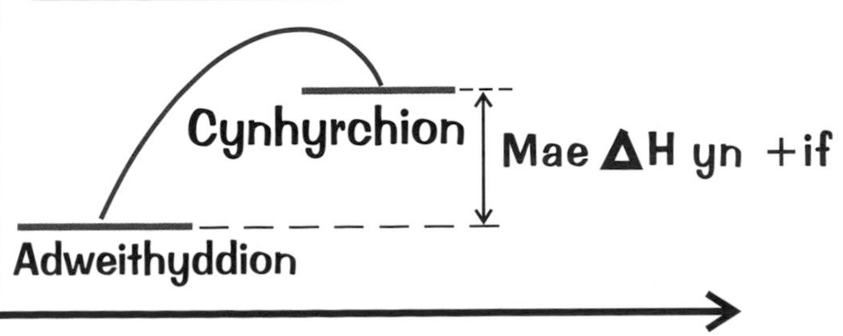

Adweithiau endothermig

1) Mae hwn yn dangos adwaith endothermig oherwydd bod y cynhyrchion ar lefel egni uwch na'r adweithyddion.
2) Mae'r gwahaniaeth uchder yn cynrychioli'r egni sy'n cael ei dynnu i mewn yn ystod yr adwaith.

Geiriau Mawr – maen nhw'n gallu bod yn boen...

Gwnewch eich gorau i edrych y tu hwnt i eiriau mawr fel "ecsothermig" ac "endothermig", sy'n gallu eich drysu. Ar y dudalen hon, dim ond tua pedwar o ffeithiau rhwydd sydd i'w dysgu, felly peidiwch â gadael i'r geiriau mawr godi ofn arnoch chi – dysgwch yr ystyr!

Crynodeb Adolygu Adran Chwech

Dydy'r adran hon ddim yn rhy ddrwg. Wel, yn un peth, mae'n fyr. Mae hynny bob amser yn dipyn o help. Mae'n bosib y bydd peth o'r ffeithiau ynghylch Cyfraddau Adweithiau yn anodd eu dysgu, ond dylai'r gweddill fod yn weddol eglur. Beth bynnag, dyma'r criw olaf o'r cwestiynau bach yna rydych wedi dod mor hoff ohonyn nhw. Cofiwch, os na fyddwch yn gallu ateb un, edrychwch ar y dudalen briodol a'i dysgu. Yna ewch nôl at y cwestiwn eto. Eich gobaith fydd gallu ateb pob cwestiwn yn rhwydd cyn y diwrnod mawr — wedyn, gallwch gael parti!

1) Beth yw'r tri gwahanol ddull o fesur buanedd adwaith?
2) Ar ba bedwar ffactor mae cyfradd adwaith yn dibynnu?
3) Eglurwch sut mae pob un o'r ffactorau hyn yn cynyddu nifer y gwrthdrawiadau rhwng gronynnau.
4) Pa agwedd arall ar y ddamcaniaeth gwrthdrawiadau sy'n penderfynu cyfradd adwaith?
5) Beth yw'r unig ffactor ffisegol sy'n effeithio ar yr agwedd arall yma ar wrthdrawiadau?
6) Beth sy'n digwydd pan fydd asid hydroclorig yn cael ei ychwanegu at sglodion marmor?
7) Rhowch fanylion y ddau ddull posib o fesur cyfradd yr adwaith hwn.
8) Lluniwch gyfres o graffiau nodweddiadol ar gyfer un o'r dulliau hyn.
9) Disgrifiwch yn fanwl sut byddech chi'n profi effaith y canlynol ar gyfradd adwaith:
   a) gronynnau solid, llai b) crynodiad asid cryfach c) tymheredd.
10) Beth sy'n digwydd pan fydd sodiwm thiosylffad yn cael ei ychwanegu at HCl? Sut mae cyfradd yr adwaith yn cael ei mesur?
11) Ysgrifennwch yr hafaliad ar gyfer dadelfeniad hydrogen perocsid.
12) Beth yw'r ffordd orau o gynyddu cyfradd yr adwaith hwn?
13) Beth yw'r ffordd orau o fesur cyfradd yr adwaith hwn? Disgrifiwch sut olwg fydd ar y graffiau.
14) Rhowch y diffiniad ar gyfer catalydd.
15) Enwch ddau gatalydd diwydiannol penodol gan roi'r prosesau sy'n eu defnyddio.
16) Beth yw ensymau? Ble maen nhw'n cael eu gwneud? Rhowch dair enghraifft o'r ffordd mae pobl yn eu defnyddio.
17) Lluniwch graff ar gyfer actifedd ensym yn erbyn y tymheredd, gan nodi'r tymereddau.
18) Pa effaith gaiff rhewi ar fwyd? Beth sy'n digwydd pan fyddwch yn dadmer bwyd?
19) Rhowch yr hafaliad geiriau ar gyfer eplesu. Pa organeb a pha ensym sy'n cael eu defnyddio?
20) Eglurwch beth sy'n digwydd wrth fragu ac wrth wneud bara. Beth yw'r gwahaniaeth rhwng y ddwy broses?
21) Pa fath o laeth sydd ei angen i wneud caws a iogwrt, a pham?
22) Beth sy'n rhoi'r blas i iogwrt a chaws?
23) Beth yw adwaith cildroadwy? Disgrifiwch ddau adwaith cildroadwy syml, yn fanwl.
24) Beth yw adwaith ecsothermig? Pa effaith mae'n ei gael ar yr amgylchedd?
25) Beth yw adwaith endothermig? Pa effaith mae'n ei gael ar yr amgylchedd?
26) Rhowch ddwy enghraifft o adwaith ecsothermig a dwy enghraifft o adwaith endothermig.
27) Lluniwch ddiagramau lefelau egni ar gyfer y ddau fath hyn o adwaith.
28) Pa drosglwyddiadau egni sy'n digwydd pan fydd bondiau i) yn cael eu torri ii) yn cael eu ffurfio?

Atebion

T.29 *1)* $2HCl_{(d)} + Ca_{(s)} \rightarrow CaCl_{2(d)} + H_{2(n)}$ *2)* $2K_{(s)} + 2H_2O_{(h)} \rightarrow 2KOH_{(d)} + H_{2(n)}$
3) $2HCl_{(d)} + Na_2O_{(s)} \rightarrow 2NaCl_{(d)} + H_2O_{(h)}$ *4)* $CH_{4(n)} + 2O_{2(n)} \rightarrow CO_{2(n)} + 2H_2O_{(n)}$

T.31 *1)* Cu =64, K =39, Kr =84, Fe =56, Cl =35.5 *2)* NaOH =40, Fe_2O_3=160, C_6H_{14}=86, $Mg(NO_3)_2$=148

T.32 *1) a)* 30.0% *b)* 88.9% *c)* 48.0% *ch)* 65.3% *2) a)* 22.2% *b)* 30.4% *c)* 21.5% *ch)* 19.7%

T.33 *Crynodeb Adolygu*

20) *a)* $2HCl_{(d)} + MgO_{(s)} \rightarrow MgCl_{2(d)} + H_2O_{(h)}$ *b)* $2HCl_{(d)} + 2Na_{(s)} \rightarrow 2NaCl_{(d)} + H_{2(n)}$
c) $CaCO_{3(s)} + 2HCl_{(d)} \rightarrow CaCl_{2(d)} + H_2O_{(h)} + CO_{2(n)}$ *ch)* $Ca_{(s)} + 2H_2O_{(h)} \rightarrow Ca(OH)_{2(d)} + H_{2(n)}$
d) $Fe_2O_{3(s)} + 3H_{2(n)} \rightarrow 2Fe_{(s)} + 3H_2O_{(n)}$ *dd)* $C_3H_{8(n)} + 5O_{2(n)} \rightarrow 3CO_{2(n)} + 4H_2O_{(n)}$

26) *a)* Ca =40 *b)* Ag =108 *c)* CO_2 =44 *ch)* $MgCO_3$ =84 *d)* Na_2CO_3 =106 *dd)* ZnO =81
e) KOH =56 *f)* NH_3 =17 *ff)* C_4H_{10} =58 *g)* NaCl =58.5 *ng)* $FeCl_3$ =162.5

27) *a)* 40.0% *b) i)* 12.0% *ii)* 27.3% *iii)* 75.0% *c) i)* 74.2% *ii)* 70.0% *iii)* 52.9%

Mynegai

A

Ar, Màs Atomig Cymharol 31, 32, 47
achosi tân 14
adeiladu 19, 23, 24, 42, 43
adeiledd(au) enfawr 62, 63
adeiledd grisial metelig 62
adeileddau ïonig enfawr 8
adnabod creigiau 42, 44
adwaith safonol 64
adweithedd 51, 54
adweithiau cildroadwy 25, 28, 71, 75-77
adweithiau dadleoli 28
adweithiau ecsothermig 26, 28, 76-78
adweithiau endothermig 28, 76, 78
adweithiol 64
adweithyddion 28, 67, 75, 79
aer 10, 25, 53
ager 35, 36
alcalïau 26, 52, 57, 58, 60
alcanau 15, 16
alcenau 11, 16
alcohol 73-74
aloïau 23, 62
alwminiwm 10, 20, 21, 23, 24, 64
alwminiwm clorid 55
alwminiwm ocsid 15, 18, 21
amhureddau 20
amhureddau sylffwr 37
amonia 25, 26, 35, 61, 75
amoniwm clorid 61, 75
anadweithiol 20
Andes 45
anfetelau 8, 54, 63
anïonau 8, 30
anod 20, 21, 30
anwedd dŵr 34, 35
anweddau 14, 54
anweddiad 40
anweddol 14
anweddu 2, 40, 56
arbrawf syml 34
arbrofion cyfradd adwaith 69, 70
ardal tansugno 45
argon 10, 34, 35, 50
arian 64
arian nitrad 55
arwynebedd arwyneb 69, 71
asid carbonig 60
asid hydroclorig 30, 54, 55, 57-61, 69, 70, 75
asid lactig 73-74
asid nitrig 26, 37, 59-61, 71
asid sylffwrig 11, 37, 59-61
asidau 26, 30, 40, 55, 58, 59, 61, 67
atebion 80
atmosffer 34, 35, 36
atomau 4-10, 29, 31, 49
atomau carbon 16
atomau niwtral 4, 30
atyniad 7
aur 18, 64

B

bacteria 26, 72, 73-74
bara 73
basalt 41, 44
batri 30
berwi 2
berwbwynt(iau) 8, 9, 14, 19
bitwmen 13
bocsit 18, 21
bondiau a chyfansoddion ïonig 7, 8, 30, 51, 53, 54, 57
bondiau cemegol 8
bondiau cofalent 7, 9, 16, 54, 55
bondiau dwbl 16, 17
bondiau metelig 62
bragu 73-74
bromin 54, 55, 57, 63
burum 73-74
bwtan 16
bwyd 56, 72, 73-74
byd heb blastig 13
bylbiau golau 50

C

cael gwared ar (electronau) 6
calch 58
calch brwd 24
calchfaen 19, 24, 37, 39-43
calch tawdd 24
calsiwm 6, 18, 64
calsiwm carbonad 24, 31, 42
calsiwm hydrocsid 58
calsiwm ocsid 19, 24
calsiwm silicad 19
canran (%) cyfansoddiad yr atmosffer 34
canran (%) cynnyrch 77
canran (%) màs 32
canran (%) ocsigen yn yr aer 34
cannydd 11, 57
capiau rhew 38
carbon 13, 18, 19, 20, 21, 31, 36, 39, 64
carbon-12 5
carbon-14 5
carbon deuocsid 10, 11, 19, 16, 19, 34, 35, 38, 39, 60, 61, 71, 73-74
carbon monocsid 14, 18, 19, 71
carbon tetraclorid 54
carbonadau 61
carreg laid 42, 43
Castell Rhuthun 42
catalydd platinwm 26, 71
catalyddion 15, 17, 25, 28, 65, 67, 70-72
catalyddion biolegol 72
catïonau 8, 30
catod 20, 22, 30
caws 73-74
cefnfor(oedd) 45
cefnforol 45
ceir 37, 67
ceir go iawn 17
cerfluniau 24, 37
cerosin (tanwydd jet) 13, 15
cesiwm 51
CFCau 37
ciwboid 8
clai 24, 43
clorian màs 67, 69
clorin 6, 7, 8, 11, 54-57
cludo 40
clymfeini 42
cobalt 11
cofalent 7, 9, 16, 54, 55
colofn ffracsiynu 13
concrit 24
copr 10, 20, 23, 34, 59, 62, 64-65
copr(II) carbonad 18
copr ocsid 34
copr sylffad 11, 75, 78
costau 22, 23, 24, 71
cracio hydrocarbonau 15
cramen (y Ddaear) (gefnforol) 35, 44, 45
cregyn môr 24, 39, 42, 43
creigiau 40-45
creigiau gwaddod 24, 35, 41, 42

Mynegai

creigiau igneaidd allwthiol 41, 44
creigiau igneaidd mewnwthiol 41, 44
creigiau metamorffig 41, 43
cromiwm 65
crynodiad 67-70
cryolit 21
crypton 50
cwarts 18
cwpwrdd gwyntyllu 54
cwrw a gwin 73-74
cyanid 11
cydbwyso hafaliadau 29
cyddwyso 13, 25, 40
cyfandirol 45
cyfansoddion 10, 18, 31, 32
cyflwr ffisegol 29
cyflwr (cyflyrau) mater 1
cyflymder adwaith 59, 81
cyfnewid electronau 7
cyfradd(au) adwaith(adweithiau) 67, 69, 70
Cyfres Adweithedd 18, 64
cymylau 37, 40
cymysgeddau 10, 13
cynnyrch *(product)* 67, 75, 76, 79
cynnyrch *(yield)* 77
cyrydiad 26, 72, 75
cyrydu 64
cyrydol 11
cywasgu 1, 41, 43

Ch

chwistrell nwy 34, 67, 69, 70

D

dadelfeniad thermol 15, 28, 75, 78
daeargrynfeydd 45
Damcaniaeth Gwrthdrawiadau 68
dangosydd cyffredinol 58
dangosydd pH 52, 58
dargludo trydan 8, 20, 23, 30, 62
dargludyddion da 23, 65
dargludyddion trydan 20
dargludyddion gwres 23, 62
datgoedwigo 38
De America 45
dellten 1, 8
defnydd crai 13
diagramau lefel egni 79
diemwnt 18, 63
diesel 13, 15
dirgrynu 1, 2
distyllu ffracsiynol 13, 15
diwydiant (diwydiannol) 25, 34, 71, 74
Dmitri 32, 47
drud 21, 23
dur 23, 62
dur gwrthstaen 23
dŵr 11, 14, 25, 40, 52, 55, 60, 61, 64
dŵr calch 11, 61
dŵr y môr 40, 41, 56
dŵr yfed 26
dwysedd 1, 19, 23, 50, 51, 65
dyfrllyd 29
dyddodiad 28, 55, 67

E

ecwilibriwm 76-77
ecwilibriwm dynamig 76
efydd 23, 62
effaith tŷ gwydr 38
egni 78-79
egni actifadu 68
egni gwres 2
Egwyddor Le Chatelier 76
ehangu 1, 40
elastigedd 17
electrodau 21
electrolysis 18, 20, 21, 30, 56, 64
electrolytau 22, 30
electronau 4-8, 22, 47-51
electronau rhydd 62
elfennau 5, 8, 10, 31, 32, 47-49
ensym(au) 72, 73-74
eplesiad 73-74
erydiad a chludo 40, 41
Eryri 41
esblygiad 36, 42
ethan 16
ethen 15-17
Everest 45
ewtroffigedd 26

Ff

ffilm ffotograffig 57
ffiniau platiau 45
fflam felen, fyglyd 14
fflam las 19
fflam las, lân 14
fflamadwy 11, 14
fflamau lliw 53
fflworin 54, 57
fformiwlâu 29, 32
ffos (ddofn) gefnforol 45
ffosiliau 42, 44
ffotosynthesis 39, 78
ffranciwm 51
ffrwctos 73
ffrwydrad 78
ffwrnais chwyth 19

G

glaw 40, 60
glaw asid 24, 37, 40, 58, 60
glo 39
gludiog 14
glwcos 73
golosg 19, 64
gorsaf bŵer trydan dŵr 22
gorsafoedd pŵer 37
graddfa pH 52, 58
graffiau 3, 67, 69, 70, 72, 79
graff gwresogi 3
graff oeri 3
graffit 21, 63
grisial(au) 8, 43, 44, 63
grisialu allan 42
gronynnau 4
gronynnau wedi'u gwefru 4, 7
grwpiau, tabl cyfnodol 6, 48, 50, 51, 54
grymoedd atyniadol 1, 2
grymoedd rhyng-foleciwlaidd 9
gwaddod (-ion) 41, 42, 45
gwaddod cymylog 70
gwasgedd 1, 17, 25, 41, 45, 68, 76, 77
gwefr (bositif) (negatif) 4
gwefrau croes 7
gwely alginad 74
gwenithfaen 41, 44
gwenithfaen pinc 44
gwenwynig 11, 54
gwifrio trydanol 23, 65
gwneud bara 73-74
gwreiddiau 40
gwres 22, 28, 41
gwres a gwasgedd 43
gwresogydd nwy 14
gwrtaith(-eithiau) 25, 26, 61
gwrtaith amoniwm nitrad 26, 61
gwrthdrawiadau 68
gwrthdrawiad penben 45

Mynegai

gwrthgyrydol 23
gwydr 24
gwyliau 35, 36
gwymon 74

H

haearn 10, 19, 23, 28, 55, 62, 64-65, 71
haearn(III) bromid 55
haearn ocsid 18, 19, 28
haearn sylffid 10
haematit 18, 19
haen oson 36, 37
haenau o waddodion 45
hafaliad(au) 29
hanner hafaliadau 30
halen 8, 56, 58-60
halen craig 56
halidau arian 55, 57
halidau metel 55
halogenau 62, 65
halwynau 30, 42, 55
halwynau arian halid 55
halwynau metel halid 55
halwynau niwtral 26
Haul 37, 38, 40, 56
HCl 30, 54, 55, 57, 58, 67, 60, 61, 69, 70, 75
heb arogl 19
heli 56, 57
heliwm 31, 50
Hen Goleg Aberystwyth 42
Himalayas 45
hindreuliad 40, 41
hinsawdd 38
hufen haul 35
hyblyg 17, 62
hydoddi 8, 20, 29, 30, 35, 36
hydrin 62
hydrocarbonau 13-15
hydrocsidau 52, 60, 64
hydrogen 11, 20, 25, 52, 56, 57, 67, 64, 69
hydrogen perocsid 70
hylifau 1, 9, 29, 54
hylifau trwchus gludiog 15
hylosgi 14
hylosgiad anghyflawn 14
hylosgiad cyflawn 14

I

iâ 40
India 45
ïodin 54, 55, 57
iogwrt 73-74
ïonau 4, 7, 8, 22, 30
isotopau 5

L

lactos 73-74
laseri 50
Le Chatelier 76
lefelau egni 6
lipasau 74
lithiwm 51, 52

Ll

llaeth (llefrith) 73-74
llechen (llechi) 43
llidus 11
llifogydd 38
llifynnau 58
llongau awyr 50
llosgfynydd(oedd) 35, 41, 44, 45
llosgi 37, 39, 53, 78
Llydaw 44

M

magma 41, 43, 44
magnesiwm 18, 28, 59, 64, 69
magnesiwm clorid 59
magnesiwm ocsid 58, 60
magnesiwm nitrad 60
magnesiwm sylffad 59
malachit 18
manganis 65
marciau fel huddygl 14
margarîn 57
marmor 41, 43
marwol 14, 26, 37
màs 4, 7, 32
màs atomig 47
Màs Atomig Cymharol, Ar 31, 32, 47
màs cymharol 5
Màs Fformiwla Cymharol, Mr 31, 32
mater 1
mercwri 63
mesur buanedd adwaith 67
metelau 8, 9, 23, 48, 51, 55, 62, 64-65
metelau alcalïaidd 51-53
metelau trosiannol 47, 65, 71
methan 16, 25, 35
mica 43
microsgop 6
moleciwl(au) 1, 2, 9, 13, 19, 15, 30, 54
monatomig 50
"môr" o electronau rhydd 62
mowldio 17
mwyn alwminiwm 18
mwyn copr (malachit) 18
mwyn haearn 18, 19
mwynau 18, 43, 44
mwyn(au) metel 18, 20, 21
mynyddoedd (plyg) 45

N

NaCl 30, 79
nafftha 13
neon 50
newidiadau cyflwr 2
nicel 62, 65
nitradau 26
nitrogen 10, 25, 34, 35, 37, 71
nitrogen deuocsid 60
nitrogen monocsid 26
niwclews 4-8
niweidiol 11
niwtralu 24, 26, 28, 58, 60, 78
niwtronau 4, 5
nwy 2, 29, 53
nwy naturiol 25, 39
nwy purfa (nwy potel) 13
nwyon 1, 9, 10, 50
nwyon CFC 37
nwyon anadweithiol 50
nwyon gwastraff 14
nwyon nobl 34, 35, 50

O

ocsidau 18, 23, 53, 60, 64
ocsidau anfetelau 60
ocsidau nitrogen 37, 59
ocsidio 11, 26, 28
ocsigen 6, 10, 11, 19, 34, 35, 37, 71
octan 15
olew 13, 39

Mynegai

olew crai 13, 16
olew iro 15
orbitau electronau 4
organebau 36

P

papur cobalt clorid 11
papur litmws 11
paraffin 15
parti 80
pegynau 38
pelydrau niweidiol 36
perygl 11, 14, 19
perygl tân 11
petrol 11, 13, 19, 15, 71
pH 52, 58
pibellau dŵr 23, 65
pibellau copr 23
pibellau nwy 23
planhigion 40
planhigion gwyrdd 41
plastigion 13, 15, 17
platiau (cyfandirol) (tectonig) 45
platinwm 64
plisg allanol 6, 9, 49, 50
plisg electronau 4, 6, 8, 49
plisg llawn 6, 7, 48-50
plwm 18, 64
plygu 23, 45
polyethen, polymerau, polypropen, polythene 17
"pop gwichlyd" 11, 52, 59, 64
potasiwm 6, 18, 51-53, 64
powdr golchi biolegol 74
powdr haearn 10
powdr sylffwr 10
pres 23, 65
pridd asidig 24, 58
problemau atmosfferig 37, 38
problemau iechyd 26
profion labordy 11, 52, 53, 55, 58, 59, 61, 64, 67, 69, 70, 75
profion syml 11
propan 16
propen 16
proses Haber 25, 77
proteasau 73, 74
proteinau 72
protonau 4, 7, 47
puro 21
PVC 17
pydru 39
pylu 64
pysgod 26, 37, 58

R

radon 50
resbiradaeth 39
rwbidiwm 51

Rh

rhannu electronau 7
rhew 38, 56
rhewi 3, 40, 56, 72
rhif atomig 5, 31, 47, 48
rhif màs 5, 31
rhychu 45
rhydu 23, 67
rhydwythiad 18, 19, 20, 28, 64

S

safle sefydlog 1
sblint yn mudlosgi 11
sebon golchi biolegol 74
senon 50
sgist 43
sglodion marmor 69
siâl 42
sialc 39, 69
silicadau 24
silicon 63
silicon deuocsid 19
sinc 18, 59, 64, 64-65
sinc clorid 59
sinc sylffad 59
siwgr 73-74
slag 19
slwj 20
smeltwyr alwminiwm 22
soda 24
sodiwm 6, 18, 32, 51, 52, 64
sodiwm carbonad 24, 32, 61
sodiwm clorid 56
sodiwm hydrocsid 56, 57
sodiwm thiosylffad 70
solidau 1, 2, 29, 54
syryp 73
swigod mawr nwy 2
sylffwr 10, 37, 70
sylffwr deuocsid 37, 60
sylweddau cofalent 9, 54, 55
sylweddau moleciwlaidd 9, 54, 55
symas 73
symbolau 29
symbolau cyflwr 29
symbolau perygl 11
symud yn gyson 1
symudiadau'n digwydd ar hap 1

T

Tabl Cyfnodol 6, 31, 47, 48
tanwydd(au) 13, 14, 15, 28, 35, 37, 38, 39, 78
tanwydd(au) ffosil 35, 37, 38, 39
tanwydd jet 13, 15
tar 15
taro 1, 68
tawdd 8, 19, 21, 30
tectoneg platiau 45
tiwbiau dadwefru trydanol 50
torri bondiau 3, 79
trawsnewidwyr catalytig 71
troi'n las 26
trydan 22, 30
tueddiadau 51, 54
tun 18, 62
tymheredd 3, 38, 76, 77
tywod 19, 24, 56
tywodfaen coch 42
tywodfaen melyn 42

W

welingtons 35
Wythfedau Newland 47

Y

Y Ddaear 35, 38, 41, 44
Y Gylchred Garbon 39
Y Gylchred Greigiau 41
ymdoddbwynt(iau) 8, 9, 21
ymdoddi 2, 3, 8, 24
ymddygiad cemegol 5
yn fychan (iawn) 4
ysmygu 14